OS CÓDIGOS DO

MINDSET DA PROSPERIDADE

PABLO MARÇAL

OS CÓDIGOS DO MINDSET DA PROSPERIDADE

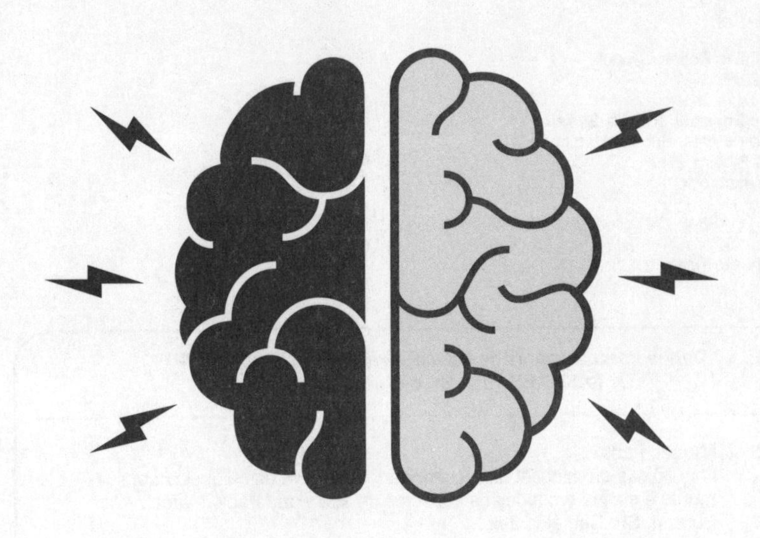

DESTRAVE OS BLOQUEIOS EM SUA MENTE E CRESÇA EM TODOS OS ASPECTOS DE SUA VIDA

3ª Impressão 2023

Presidente: Paulo Roberto Houch
MTB 0083982/SP

Coordenação Editorial: Priscilla Sipans
Coordenação de Arte: Rubens Martim
Edição: Aline Ribeiro
Imagens: Shutterstock

Vendas: Tel.: (11) 3393-7727 (comercial2@editoraonline.com.br)

Foi feito o depósito legal.

Dados Internacionais de Catalogação na Publicação (CIP)
(eDOC BRASIL, Belo Horizonte/MG)

M663c Marçal, Pablo.
Os códigos do mindset da prosperidade: destrave os bloqueios em sua mente e evolua em todos os aspectos de sua vida / Pablo Marçal. – Barueri, SP: Camelot, 2021.
15,1 x 23 cm

ISBN 978-65-87817-37-8

1. Autoconhecimento. 2. Mindset. 3. Técnicas de autoajuda. I.Título.
CDD 158.1

Elaborado por Maurício Amormino Júnior – CRB6/2422

IBC — Instituto Brasileiro de Cultura LTDA
CNPJ 04.207.648/0001-94
Avenida Juruá, 762 — Alphaville Industrial
CEP. 06455-010 — Barueri/SP
www.editoraonline.com.br

SUMÁRIO

PREFÁCIO

A sua condição não determina quem você é

Multiempresário, mentor e estrategista digital, Pablo Marçal acredita no autoconhecimento como uma fonte de transformação para qualquer aspecto da vida, inclusive para o universo dos negócios. Criador do método IP – treinamento de inteligência emocional e ativacional –, ele ajuda a desbloquear a identidade digital de qualquer pessoa para ter alta performance em todos os sentidos.

Nas páginas deste livro, o mentor – que já acumula mais de 2 milhões de seguidores nas redes sociais – afirma que, através da Internet, é possível transbordar na vida de milhares de pessoas.

Pablo Marçal, também conhecido como Titi, faz uma analogia, comparando uma pessoa a um computador, com o cérebro sendo o *hardware* e a mente o *software*. Da mesma forma que o computador demora alguns segundos para ligar, o cérebro também precisa de tempo para despertar. Um dos seus focos é no *boot* cerebral, que é uma maneira de ativar a mente para fazer o cérebro trabalhar ao seu favor.

Casado com Ana Carolina Marçal e pai de quatro filhos, o mentor é defensor da família e revela que ela é a base de tudo. Pablo comenta que toda vez que ele expõe a sua casa, a família, a maneira como ele se relaciona com a esposa e trata os filhos, e até como enfrenta os problemas do dia a dia, de alguma forma, faz com que as pessoas se conectem ainda mais e sejam curadas.

Pablo Marçal assina frases que nos fazem refletir, tais como "O sucesso é a soma dos seus fracassos" e "Árvore que dá fruto leva pedrada" (então, se você está levando pedrada, é porque está dando frutos ou se você quer dar frutos – prosperar – prepare-se para levar pedradas). Essas são apenas algumas de muitas que são abordadas nas próximas páginas e que nos fazem refletir sobre a nossa existência.

Para completar, o livro apresenta atividades para testar os seus conhecimentos e lhe impulsionar a sair de sua zona de conforto para evoluir.

Comece a plantar sementes e acabe com seus bloqueios para atingir os seus objetivos. Lembre-se: tenha um plano para saber para onde seguir, mas não tenha receio de rasgar este plano, caso as coisas à sua volta mudem. Afinal, "mar calmo não faz um bom marinheiro".

Esteja preparado para se frustrar, mas jamais para desistir. Tome as rédeas da sua vida e comece a fazer a diferença nesta Terra!

Os editores

CAPÍTULO 1

É IMPOSSÍVEL PROSPERAR SEM SE MEXER!

Você está preparado?

A partir da leitura deste livro, coisas grandes e surpreendentes vão acontecer em sua vida. No entanto, não basta apenas ler. É preciso estudar e colocar tudo em prática! Prepare-se!

Este capítulo foi criado com o intuito de desafiá-lo e mudar o seu mindset. Quero acabar com as suas crenças antigas e limitantes para que você consiga caminhar para frente!

Nas páginas seguintes, você vai descobrir o que o bloqueia e o que o deixa alienado!

Prepare-se, já adianto que não será uma leitura fácil. Muitas vezes, o seu estômago chegará até a embrulhar, mas o objetivo aqui é fazer com que VOCÊ VÁ CUIDAR DA SUA VIDA e viva os seus reais propósitos. Portanto, antes de seguir com a leitura, respire fundo, abra o peito e a mente para aceitar duras verdades, mas, acredite, elas são necessárias para o seu crescimento. Pronto para dar início a sua transformação?

Acabe com as crenças negativas

Antes de começar a sua leitura, você precisa ter em mente que precisará deixar alguns hábitos antigos no passado para conseguir evoluir. É preciso ser forte! Quando falo sobre crenças, quero lembrá-lo, principalmente, daquelas negativas. Por exemplo, se você pensa na frase "pau que nasce torto nunca se endireita", coloca na cabeça que não é possível mudar. Ou seja, suas crenças negativas dominam a sua mente e você se curva diante delas.

Uma boa frase para se lembrar é "a verdade é aquilo o que você resolve acreditar". Quando você não abre a sua mente, idolatra essas crenças. E o que acontece? Elas acabam se provando e se tornam uma realidade constante. Uma das formas para tudo dar errado é continuar olhando para essas crenças. Se ficar com desculpas como "não tenho tempo", "isso não funciona", entre outras, você irá se curvar a essas crenças e não dará um passo à frente.

Pense: quais são as suas crenças que não te levam para uma posição próspera? O que elas representam para você? Uma crença negativa o aprisiona, uma positiva o desperta. Respeite seus fatos, seus resultados, não se curve às crenças negativas e desconecte-as da sua realidade. Acredite, só tem resultado quem para de se curvar diante de crenças negativas.

Comece a se mover

Identifique e liberte-se de suas crenças negativas!

Anote abaixo as suas crenças negativas, aquelas que lhe impedem de fortalecer o seu mindset para prosperar.

Para a sua saúde mental estar bem, quais são os pilares na sua vida que não podem ser abalados? Identifique-os abaixo para entender o que realmente importa para você.

Agora é a ação! Anote a crença negativa que possui e a ação que fará para não tê-la mais.

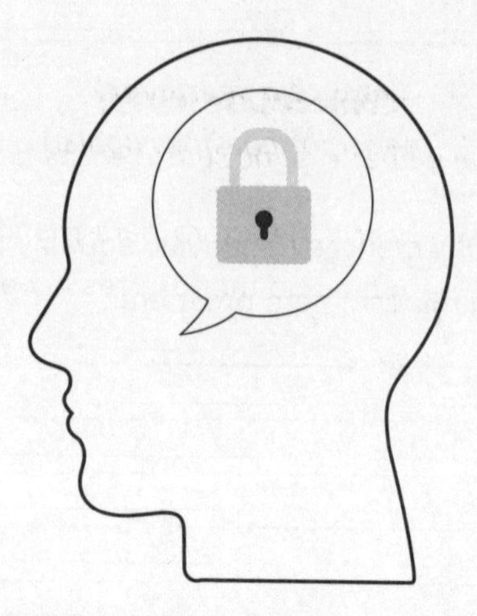

Você irá se mover?

Este capítulo é para fazer com que você pense. Por que está lendo este livro? Você está pronto para fazer a grande transformação em sua vida? Esse é um conteúdo para mexer com a sua mente, com a ideia de despertar em você a certeza do que realmente quer ser e onde quer chegar.

Você já parou para pensar que, quando a pessoa não se move, ela tem uma certeza: não terá resultados? Porém, a pessoa que está se movendo, tem uma garantia: talvez demore, mas uma hora ela vai chegar lá!

Não se mova, fique parado! Esse "parado" vai fazer você ficar pior do que estava antes, porque as coisas estão se movendo e acontecendo a todos os instantes. Tudo se move, só você que não avança. Por quê? Ao se mover, você já começa a manifestar a glória da criação.

A ideia aqui é canalizar as suas emoções para a ação. Ao se mover, você não tem noção do que pode acontecer. Reflita: todos os grandes nomes da Bíblia se moveram, se espalharam e isso mudou completamente o resultado da humanidade.

As pessoas não entendem o poder da energia dos lugares. Se você está em um lugar que tem uma vibração ruim, ficará com aquela energia estagnada. No entanto, se você se move, não absorve aquilo para você. Só existe um fato: é impossível prosperar sem se mexer!

Comece a se mover!

Responda às questões abaixo.

O que você vai fazer a partir de agora para manifestar a glória da criação em sua vida? Anote, pelo menos, três novas atitudes.

____

____

____

____

____

____

Escreva o que você não pode fazer para essas novas atitudes darem errado e, assim, você conseguir agir em sua vida.

____

____

____

____

____

____

Alienação

Afinal, o que é alienação? É quando a pessoa transfere um bem ou um direito legítimo seu para um terceiro. Reflita: será que você está transferindo para outra pessoa a riqueza que acha que não tem? Onde você aplica a sua energia no dia a dia? Está fazendo a diferença para o mundo ou você está economizando energia, sendo um alienado? Sim, parece que a vida é mais confortável quando você está alienado, mas é isso o que você quer? Para amadurecer, é preciso cometer erros ou aprender com os erros dos outros. Assim, se você quiser que nada se mova em sua vida, continue alienado.

Sim, queremos dizer para você continuar alienado ao seu patrão, a opinião dos outros, ao jeitinho brasileiro, ao medo de ser julgado... Continue alienado a todo tipo de sistema que desvaloriza quem você é, pois isso fará com que você não gaste energia e nem tenha surpresas. Essa alienação vai garantir que você coloque a sua vida para outras pessoas cuidarem.

Qual é a alienação que você mais gosta? Responda com sinceridade! Elas são boas para algumas pessoas, porque há aquelas que são carentes. E se você for essa pessoa carente, você gosta de ser alienado. Contudo, se você nasceu para dominar e governar, a relação vai ser insuportável. Caso não seja assim, talvez você queira ser cuidado por alguém, porém, é preciso lembrar que quem precisa de cuidados são crianças e você é um adulto.

A ideia aqui é confrontá-lo mesmo, para que você mova-se e transforme a sua vida. Reflita, neste momento, se você é alienado hoje. Seja verdadeiro com você mesmo, pois apenas reconhecendo a necessidade da transformação é que conseguirá agir.

Bloqueios emocionais

Uma das coisas que mais atrapalha as pessoas em qualquer atividade da vida é o bloqueio. Mas você não tem nenhum, certo? Você não tem bloqueio de aprendizagem, de necessidade de aprovação, de autoimagem, enfim, se está tudo certo, toque a sua vida. Contudo, garantimos uma coisa: não identificar os bloqueios é a certeza de que não terá resultados. Todo ser vivo tem bloqueios, que são gerados ao longo da vida, principalmente no período da infância.

Entenda que o bloqueio tem intimidade com o propósito. Esse bloqueio não existe para diminuir você. Ao enfrentá-lo, você pode ficar ainda mais forte. Não interessa onde está esse problema, mas você precisa descobrir o bloqueio que existe dentro de você e resolvê-lo.

O bloqueio é uma prova de amor. Como assim uma prova de amor? Sim, o seu cérebro não quer que você se submeta a alguma coisa que foi bem pesada para você, como uma humilhação ou um vexame. O que seu cérebro faz? Ele não quer que você passe por isso novamente. Contudo, para avançar e prosperar, é preciso driblar a mente, enfrentar os bloqueios e solucioná-los, senão você ficará paralisado e travado.

Todo o bloqueio emocional tem um começo. Muitas vezes, começa, até mesmo, na gestação, dentro do útero. Isso porque, além dos nutrientes, o bebê absorve todas as energias da mãe. E outros bloqueios são colecionados ao longo da vida...

Quando você resolve os seus bloqueios por etapas, acaba jogando todas as suas travas no lixo. Por isso, a seguir, conheça os sete bloqueios mais comuns:

1º Autoimagem:
A autoimagem é o espelho; o que outra imagem e semelhança fala ao seu respeito. Ou seja, a forma como você se vê foi construída com as falas que você ouviu ao longo da sua vida, principalmente de pessoas que você confia. Entenda: se você mudar a forma como você se vê, outros possíveis bloqueios já ficarão abalados e deixarão de existir.

2º Escassez:

Se você olhar na sua carteira agora e não tiver nenhum dinheiro, você deve ter o bloqueio da escassez. Você pode até trabalhar para os outros e ajudá-los a prosperar, mas, quando é para você, para o seu próprio negócio, tem o bloqueio que isso não vai dar certo. Esse bloqueio não deixa você ser livre! Nunca vai ter combustível para chegar em um lugar; nunca terá voz para falar o que precisa; nunca terá alegria para desfrutar...

3º Necessidade de aprovação:

Se durante sua infância, muitas pessoas tiveram plena autoridade sobre sua vida, impactando em todas as suas ações, quando adulto, a sua mente faz você pedir "autorização" para realizar suas ações. Cuidado com as pessoas centralizadoras em sua vida. A minha orientação como mentor é romper com elas. Muitas vezes, você vai receber um "não" da própria mente e consequentemente deixará de fazer o que deve ser feito.

4º Aprendizagem:

Se no seu processo de aprendizagem, alguém lhe privou de ser ousado, de experimentar novas formas de fazer algo e de ser criativo, você pode ter esse bloqueio quando adulto. Além disso, se alguém lhe humilhou, você deve ter medo de expor suas ideias hoje. Provalmente, ao aprender coisas simples, tenha dificuldade em absorver o conteúdo e sair do lugar.

5º Bloqueio paterno:

Eu descobri que pai é Deus; eu, por exemplo, sou treinador dos meus filhos. É preciso treinar o amor e o carinho nos filhos. Eu faço isso com os meus filhos sempre: pego no colo, olho nos olhos, almoço sempre com eles à mesa... A maior parte dos pais não faz isso; e o adulto cresce com uma carência absurda que vai exigir em outras relações.

É preciso treinar os filhos para a vida e, caso isso não tenha sido feito com você, perdoe seus pais.

6º Passividade:

Falta explosão, é a ausência da paixão! O passivo parece um carro afundando na lama e bate o eixo no chão, não consegue sair do lugar, ficando sempre no mesmo lugar. A passividade faz você nunca viver os melhores dias da sua vida. Esteja presente e ativo no agora!

7º Perfeccionismo:

Você nunca viu no mestre Jesus o perfeccionismo. Em suas passagens, Ele nunca fez questão de agradar a todos. Perfecionismo é a criação de um mundo ideal. Com isso, ao entrar neste universo perfeito, você sai do mundo real e não tem resultado. Quando eu quero fazer absolutamente tudo perfeito, eu não consigo sair do lugar. Comece com o que você tem de melhor.

Ser perfecionista faz você não viver a realidade! Liberte-se do perfeccionismo e comece!

Lembre-se: uma única pessoa pode ter diversos bloqueios. A minha orientação como mentor é identificar um a um e buscar soluções para resolvê-los. Entender o bloqueio e o porquê aconteceu são atividades importantes. Pense que esses acontecimentos ficaram no seu passado e que você não necessita mais passar por isso. Acredite, você é o dono da sua vida!

No computador, para deletar algo, apertamos as teclas: *Control + Alt + Delete*. Já para eliminar um bloqueio na sua mente, o *Control* significa o controle que você tem sobre sua vida, o *Alt* refere-se a alterar aquela cena e o *Delete* é o ato de apagar aquilo no agora.

Eu mesmo já fiz mais de 50 desbloqueios emocionais comigo e eu já não reconheço o cara que eu era há dez anos. Como mentor, falo para você realmente olhar para dentro de você, analisar o que lhe impede de prosperar, o que de fato está travando você. Somente assim, conseguirá se mover no caminho que tanto deseja.

Descubra seus bloqueios

Liste todos os bloqueios que consegue identificar em você.

Escreva o que os bloqueios têm impedido você de conquistar.

Qual é o lado positivo de ter bloqueios e o que você pode ganhar sendo desbloqueado?

CAPÍTULO 2

PROSPERIDADE É CRESCIMENTO

Transforme sua mentalidade

Prosperidade não é dinheiro. Prosperidade é crescimento!

Em vista disso, conheça sete hábitos essenciais para colocar em prática na sua vida a partir de hoje.

Além disso, neste capítulo, eu te ensino os três estágios que você pode viver em sua vida: o da escassez, o da abundância e o do transbordo. Entenda como colocar este último em ação na sua vida e prepare-se para os resultados!

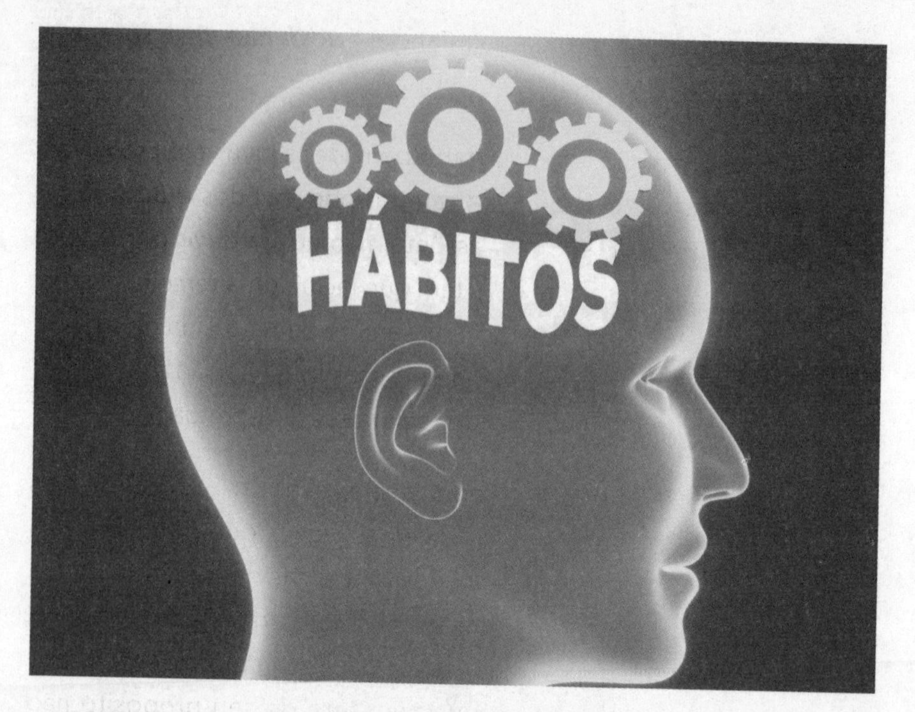

7 hábitos de pessoas altamente prósperas

1º Escolha o ambiente que vai ficar

O ambiente é a terra, porém tem lugares que não são férteis. Se você quiser trabalhar a Terra, é possível. Contudo, se você estiver rodeado de "agricultores" que não querem trabalhar, você vai gastar a sua vida nesta besteira. Se essas pessoas forem patrocinadoras negativas, não irá funcionar, e por melhor que você se empenhe. Então, para ter abundância e ser altamente próspero, escolha o ambiente. Exemplos de ambientes: família, Igreja, escola, trabalho... Escolha os seus ambientes, e não seja o escolhido por eles.

2º Escolha as pessoas

Você pode até pensar que tem amigos de infância. Amigos da infância são da infância. Os amigos de hoje são os da prosperidade. Os amigos de infância vão ficar sempre lhe cobrando: "Olha, você não era assim, hein?". Eu, por exemplo, não quero que me retomem como eu era na infância. Hoje eu sou um general de guerra! E todos que fizeram isso comigo, eu cortei o relacionamento. Muitos amigos de infância querem te manter na infância, e você não deve ser puxado para lá. Você já cresceu!

3º Conecte-se com pessoas que produzem ideias para você prosperar

Fuja daquelas pessoas que só ficam falando mal dos outros. O fofoqueiro, por exemplo, não tem assunto, não aceita ouvir o que você tem para falar e, portanto, sempre tem que incluir uma terceira pessoa. Como eles não têm conteúdo, precisa sempre trazer a vida de alguém para poder desenrolar. Rodeie-se de pessoas que não são fofoqueiras e que apenas somem com boas ideias para sua prosperidade.

4º Estude! Isso não significa que deve escolarizar

No escolarizar, são ensinadas diversas coisas que não lhe agregarão em nada. Já no estudar, você foca apenas naquilo que irá lhe agregar valor de verdade. Se você me chamar para estudar robótica, é interessante, mas, atualmente, na minha vida, não faz sentido. Então, eu não vou estudar. Tudo que tiver fora do seu propósito não gaste energia! Escolha estudar aquilo que lhe fará prosperar em seu planejamento de vida.

5º Teste, ame testar!

Aprenda, na prática, o que funciona ou não na sua prosperidade. Mas não fique batendo a testa, quando perceber que aquilo não irá prosperar. Refaça os planos, mas não desvie dos seus propósitos.

6º Quebre regras e instale hábitos!

Se você acordar duas horas mais cedo todos os dias, vai acontecer algo surpreendente em sua vida. Você vai acordar antes dos "reclamões", não terá ninguém para lhe tirar do seu foco. Nesse período, você produz algo altamente poderoso. Eu, por exemplo, acordo 4:29 horas da manhã todos os dias e sempre acontece algo. O que você produz até às 18 horas, eu já produzi até ao meio-dia.

7º Viva no agora!

Só tem como plantar e colher no presente. Pare de viver no passado e comece a viver o agora para desfrutar o futuro que sonha.

Crie novos hábitos

Qual ou quais hábitos você precisa colocar em prática hoje para poder prosperar? Escreva-os abaixo.

Isso vai mudar sua vida

Você pode pensar: "Por que Deus gosta mais do Pablo do que de mim"? Acredite, quem não retém irá crescer mais e será grande nesta geração. Deus dá semente ao que semeia. Por isso, não guarde apenas para você o seu melhor conteúdo. Você precisa receber e transbordar. Se você tem o desejo de destravar, multiplicar e frutificar, é só deixar o rio fluir. Isso não é apenas sobre mim ou você, é sobre todos nós. Eu, você e Ele. Então, anota este código:

não retenha o que é Dele. A sabedoria é Dele. O rio que tenta segurar alguma coisa vira uma represa, e represas secam. Quando você transborda, joga todas as suas "maluquices" no rio. Você consegue jogar todas as suas falhas também. Medos, anseios e inseguranças também. E o rio começa a fluir e você começa a navegar.

Em 2005, eu era gago e comecei a palestrar. A gagueira teve que trabalhar. No início, lembro que eu tinha medo de pegar no microfone; o medo também teve que trabalhar. Tudo que eu tinha – de melhor ou de pior – coloquei para trabalhar. Todos os meus bloqueios foram trabalhados. Você está pegando o código? Você pode estar pensando: "Como eu vou transbordar sem ter resultado?". Mas a pergunta deve ser: "Como ter resultado sem ter transbordo"? Coloque tudo que tem para trabalhar em prol de sua missão de vida.

Anote este código: o seu bloqueio tem intimidade com o seu propósito. Seus medos têm indícios – como se fossem rastro de bala – sobre aquilo que você tem que fazer. Tem três estágios da vida que, quando você aprende, não irá querer mais depender de nada. São eles:

1. Quando você pensa somente em você, sempre estará abaixo daquilo que você foi chamado. Você viverá apenas na escassez.

2. Quando você se esforça pelos da sua casa, você é abundante.

3. Agora, quando você transborda, você cumpre o um, o dois, o três e não para.

O que fazer com críticas?

Não adianta absorver todos esses conhecimentos e não colocar em prática. Caso contrário, você terá uma obesidade cerebral. Por isso, até os pequenos aprendizados devem ser colocados em prática rapidamente. E quando fizer isso, começará a prosperar em abundância! Mas não pense que, ao evoluir, não será acompanhado de perseguição. Contudo, melhor ser criticado na prosperidade do que quando estiver na lama. Eles vão te criticar de todo o jeito.

Analise e escreva aqui

Qual estágio você se encontra hoje? Na escassez, na abundância ou no transbordo? Por quê? E como você pode mudar ou intensificar isso?

Se eu ligo para esse montante de coisas que dizem sobre meu trabalho? Claro que sim! Só um ignorante não ligaria. Mas eu ainda aproveito essa energia. Existe um código que chama CCC.

CÓDIGO CCC

Quando você está mal, pense que é uma árvore frutífera que não está dando fruto. Mas esse é o tempo de não dar, pois tudo é um ciclo. Até nesse período, vão lhe criticar. E depois ao prosperar, vão criticar mais ainda. No entanto, saiba que as duas energias são boas. Quando você

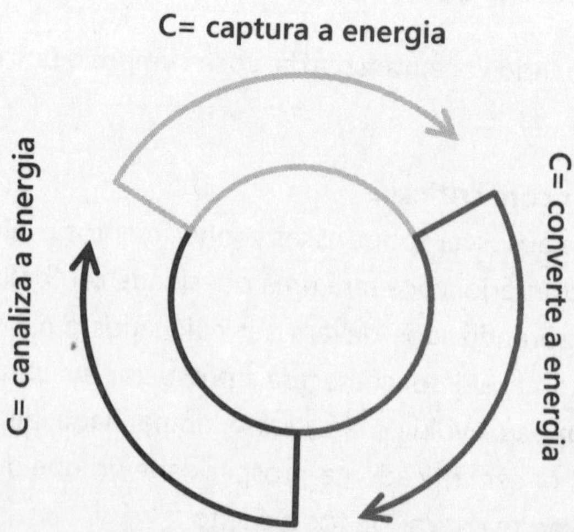

C= captura a energia

C= converte a energia

C= canaliza a energia

entende as críticas e as perseguições, tudo isso ainda o deixará mais forte. Então, saiba aproveite até mesmo a energia ruim. É só convertê-la para o tornar ainda mais veloz!

Quando depositam uma energia de inveja em você ou quando lhe criticam sem visar nenhuma melhoria, use toda a sua indignação como força para conseguir resultados ainda melhores. Convertar a energia ruim a favor de suas boas ações.

Será que você entendeu o código?

Escreva aqui o que significa o código CCC e como irá aplicá-lo?

CAPÍTULO 3

INTELIGÊNCIA EMOCIONAL

O que você faz com sua energia?

Neste capítulo, você vai entender o que é inteligência emocional e por que ela é tão importante para as pessoas que desejam prosperar.

Ao contrário do que a maioria das pessoas pensa, inteligência emocional não é sobre ser comportado, bonzinho e nem legal o tempo todo. Inteligência emocional é sobre saber o que fazer com a sua energia.

Aprender inteligência emocional é algo poderoso, pois é por meio dela que você vai reconhecer e avaliar os seus sentimentos e os dos outros. Quando você tem inteligência emocional, consegue lidar melhor com as pessoas e gastar menos energias com coisas que não merecem o seu tempo.

Nas próximas páginas, você vai entender melhor sobre inteligência emocional, como administrar os seus sentimentos, canalizar as suas energias e muito mais. Pode acreditar, as páginas seguintes farão a sua mente explodir e seguir essa leitura de outra forma. Siga em frente e descubra tudo sobre esse conceito psicológico poderoso! Vamos lá!

Mente x Cérebro

Para você entender sobre inteligência emocional, é preciso que saiba a diferença entre mente e cérebro. Eles parecem a mesma coisa, mas são totalmente diferentes! Cérebro é a parte física, tangível, é o que a gente tem por dentro, já a mente não, ela é um campo de energia. É como se fosse um computador que tem *hardware* e *software*. O *hardware* é a máquina, o computador; já o *software* é o programa que está dentro da máquina que, no caso, é a mente. Não adianta ter uma máquina incrível se, na hora de instalar o programa, você insere algo ultrapassado. Nada vai funcionar! E com a mente e o cérebro, é a mesma coisa.

A sua mente naturalmente não tem medo, mas, se você aceitar o que o seu cérebro impõe, você vai ser governado por algo que é menor. Quando o cérebro é o chefe, já era, pois a sua mente vai se submeter aquilo que os seus olhos veem, não aquilo o que você é!

Por exemplo, o cérebro é o motor de um carro e a mente, o piloto, que programa e dirige. Quando você aprende isso, para de entrar em furadas, porque sabe distinguir o que vem da sua mente e o que vem do seu cérebro.

Você precisa aprender sobre inteligência emocional, porque, se não entender, quando você se expor em alguma situação e alguém lhe criticar, você vai dar ouvidos. Agora, se você escuta a sua mente, não se abala e segue no seu propósito. Lembre-se que é a energia da sua mente que tem de governá-lo!

Administre seus sentimentos

Você sabe o que é sentimento? É a forma que você interpreta o mundo. Esse, por sua vez, tem uma vertente e, quando você o interpreta, isso é o sentimento. Às vezes, você vê alguém na rua, e a pessoa não o cumprimenta, porque não está bem. Ao invés de olhar para você e pensar que ela não é legal ou foi mal educada, olhe para o todo. Use isso para não interpretar uma situação pensando só em você. Quando você faz isso, consegue perceber que a pessoa pode estar em uma rotina corrida ou com algum problema e, portanto, não conseguiu dar atenção naquele momento.

Coloque em prática

- Faça o *boot* cerebral todos os dias para que a sua mente consiga construir o cenário com cada vez mais facilidade para que o seu corpo consiga se reconectar.

Para fazer o boot com o Pablo Marçal, aponte a câmera do seu celular para o QR Code abaixo:

- Veja quais situações você está deixando o seu cérebro comandar e ressignifique para ser controlado pela mente.

- Faça uma autoanálise dos eventos durante a sua vida que seu cérebro, por medo, o impediu de conquistar. Liste três eventos e escolha apenas um.

- Após ter selecionado apenas um, descreva-o de forma bem específica e coloque data para que esse evento/objetivo se torne um alvo.

- Liste, pelo menos, sete impedimentos que o travam de conquistar esse alvo.

- Faça uma tarefa para acabar com esses impedimentos, ordenando todas por prioridade.

A chave disso é que se você é alguém que sabe interpretar sentimentos, irá canalizar as emoções de forma brilhante. O sentimento é o que entra e você sente, já a emoção é o que você faz com isso. Captou este código? Ele é crucial para a sua vida!

No dia a dia, as pessoas são estressadas, porque não sabem o que fazer com os sentimentos delas. Portanto, canalize a sua energia, seja no esporte, em alguma coisa que não vai fazer você ficar com aquela sensação ruim. Interpretou algo de forma errada? Imagine o bem da outra pessoa, não leve isso para você. Interprete o mundo de forma diferente. Comece a captar a natureza e a essência das coisas.

Explore ainda mais os seus conhecimentos!

Para entender mais como vibrar a frequência ideal para atrair a prosperidade, aponte a câmera do seu celular para o QR Code abaixo:

Canalização de energia

O que você gosta de fazer? Pelo que você sente impulsos sexuais constantemente? Isso depende muito da maneira como você se alimenta. Do que você se alimenta? É preciso tomar cuidado, porque você se alimenta de três formas: pelo ouvido, pela boca e pela mente. Esses sensores determinam muito seu nível químico de sexualidade. Ao invés de fazer besteira com isso, canalize esse impulso sexual em algo que gosta. Pode ser na fala, na escrita, na dança, entre outros. Essa canalização é jogar energia, portanto, não a desperdice. Se tudo é energia, até na inveja é possível aproveitar o que vem. Existem coisas que não serão fáceis de interpretar, mas você vai converter e tirar algo bom disso.

Mapa do mundo

Você interpreta o mundo com base nas suas experiências de vida, que tem relação com o lugar onde você viveu, as pessoas com quem conviveu, seus bloqueios, traumas etc.

Se você tem experiências variadas, o seu mapa começa a se alastrar. Por exemplo, o mapa é como se fosse uma fazenda cerebral. Nós começamos com um curral e vamos abrindo as cercas. E quando você é uma pessoa livre, já não está na fazenda cerebral, e sim em uma selva.

Quanto mais o seu mapa de mundo cresce, as coisas que antes pareciam grandes para você ficam pequenas, porque você expandiu. E inteligência emocional é isso: um processo de expansão.

Lembre-se de que não é o mundo que dá voltas, mas é o seu mapa que se expande.

Não é sobre comportamento

Quando falamos em inteligência emocional, as pessoas logo pensam em quem é pacato, manso e humilde. Porém vai muito além disso! A inteligência emocional não é sobre ser comportado. Minha orientação como mentor é que você saiba a hora de agir e como agir. É ser manso quando precisa ser, mas forte quando precisa ser também.

Uma frase para você guardar é: só tem a paz quem vence a guerra! Se você é alguém que quer dar certo na vida, deixe de ser o "comportadinho", porque se você não erra, também não aprende.

A inteligência emocional é mais simples do que as pessoas pensam. Quando tiver ferindo princípios e valores, vá para a guerra. Essa é a verdadeira inteligência emocional.

A chave é você saber que, na hora que precisar fazer algo, necessita realmente fazer. Tem gente que quer vencer a guerra só com a paz e não é assim. Crie situações para você simplesmente não retroceder.

O tripé da inteligência emocional

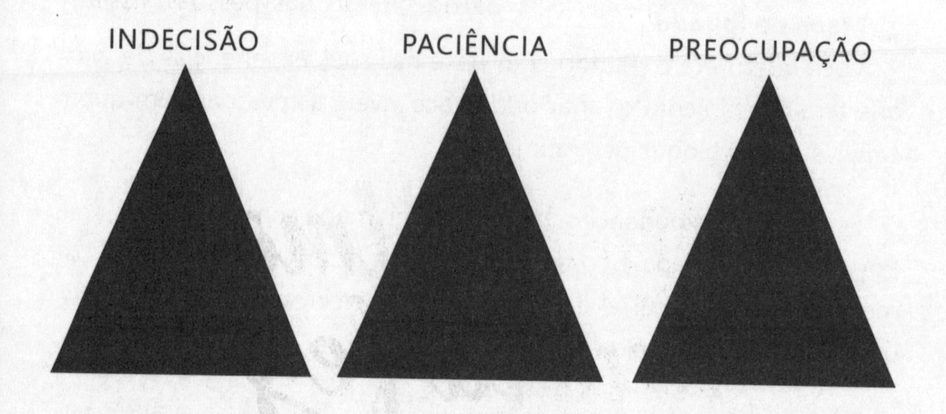

Quer ter inteligência emocional? Então, conheça esse tripé:

- **Indecisão:** uma pessoa que é confusa e indecisa não tem coragem de errar. E todo erro gera aprendizado. Então, não tenha medo de errar, pois você vai aprender e fortalecer suas emoções.

- **Paciência:** só é paciente quem errou e hoje sabe ouvir. Por isso, enfrente seus problemas, mas saiba aguardar o momento certo de agir.

- **Preocupação:** ative sua mente para fazer o que precisa ser feito. Faça isso todos os dias e logo bem cedo pela manhã.

Pratique o que aprendeu

• Leia o meu livro: *O Destravar da Inteligência Emocional* (Editora Plataforma) e faça todas as atividades.

• Ninguém tem paz sem vencer uma guerra. Comece a criar situações para que você não retroceda.

• Aprenda a dizer não para as pessoas. Para que você cresça, converta a situação para as pessoas o respeitarem.

• Diga não para uma pessoa ainda hoje. O não gera resultados e a transformação para quem fala e para quem ouve.

• Aprenda a respeitar o mapa do mundo das pessoas, assim como o seu.

Mar calmo nunca fez bom marinheiro

CAPÍTULO 4

O TEMPO É O NOSSO BEM MAIOR

C

Como não carregar pessoas

Quem está à sua volta contribui para você alcançar o seu propósito? Faça essa reflexão e seja seletivo em suas escolhas. Pare de carregar pessoas nas costas, pois isso irá atrapalhar o seu foco. Oriente-as, mas não carregue-as. Deixe o rio fluir até para que elas consigam crescer também.

Para a prosperar, seu tempo é muito caro, é o nosso bem maior. Então, pare de gastar seus segundos, minutos e horas com coisas e pessoas que não irão lhe lançar para frente!

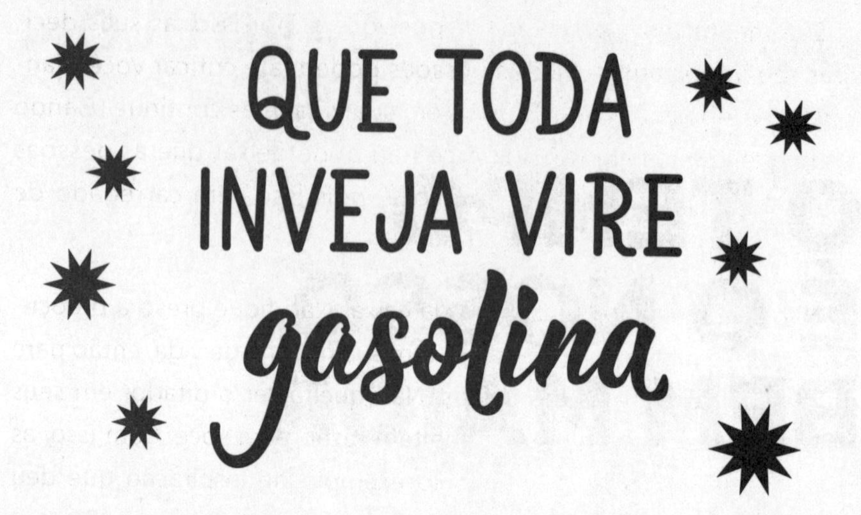

Viva por decisões

Ao ler este livro e fazer as tarefas, você se torna uma pessoa que não vive apenas por condição, e sim por decisão. Chega em um nível que não tem mais como carregar as pessoas, porque você já está em um nível elevado de conhecimento. Normalmente, o que acontece? Diversas pessoas querem lhe paralisar pelo caminho (pais, cônjuges, filhos...). Faça uma autoanálise de quem são essas pessoas hoje.

Pare de falar coisas para apenas agradar o ouvido das pessoas. Os primeiros que têm que ser agradados são você e Jesus Cristo. Você não é obrigado a carregar ninguém.

Por vezes, a pessoa que está ao seu lado não está na frequência que você está, então é necessário lidar com esse tipo de pessoa. *Haters* são aquelas pessoas que vão fazer ao contrário do que você está fazendo, não acreditando no seu propósito. E quanto mais *haters* aparecerem em sua vida, acredite, é porque você está no caminho certo. Por isso, anote esse código: a sua decisão vai te levar a lugares que a sua condição não te levará.

A verdade é que a sociedade quer que você aja por condição; ela não quer que você seja uma pessoa de decisão. Quando você começa a expor suas opiniões, você acaba se tornando um problema para as pessoas.

Sua mente tem que trabalhar por você e, por isso, as suas decisões são importantes. Muitas pessoas podem até criticar você diante às novas posturas que adotará em sua vida, mas continue usando a sua inteligência emocional. Você não pode deixar que as pessoas plantem a experiência delas em você, pois isso vêm carregado de medos e frustrações.

Não seja mediano, pense fora da caixa! Não fique preso à preocupação com o julgamento. Cada um tem sua história de vida, então pare de carregar as pessoas nas costas. Não queira ser o ditador em seus ambientes; e sim seja a pessoa que tem razão para você. Com isso, as pessoas vão querer lhe seguir pelo exemplo de inspiração que deu para elas.

Anote esse código também: o momento que você decide carregar uma pessoa, você também a impossibilita de crescer. Sim, você pode ajudar mostrando a diretriz, porém não fazendo por ela. Por isso, repita: "A partir de hoje, eu não carrego mais ninguém nas costas. A partir de agora, eu vou apenas levar a transformação".

Isso não quer dizer que você será egoísta. Na verdade, você está liberando a pessoa para prosperar.

Reflita e pontue

Liste abaixo as pessoas que você decidiu não carregar mais.

____

____

____

____

____

____

____

____

____

Se você não estivesse carregando ninguém, como teria aproveitado melhor os seus dias para prosperar?

A partir das duas questões anteriores, você tem um relatório do tempo e da energia que perdeu. Abaixo, dê um novo significado para esses erros. Por fim, canalize a energia para ser mais produtivo e ter resultados exponenciais.

Como matar ladrões de energia

O que são ladrões de energia? É quase tudo que você gosta de fazer, mas que não te traz nenhum retorno. Por exemplo: assistir séries ou novelas pode ser interessante, mas, se fizer isso em excesso, poderá ser um ladrão de energia, assim como *videogames* e até dormir mais do que o necessário. Tudo que você faz, mas que não te leva para a produtividade ou para a evolução e crescimento é um ladrão de energia.

Então, o primeiro passo é saber onde você deseja chegar. Qual é o seu foco? Quando você tem isso muito bem-definido, você precisa correr atrás dos seus resultados. E, portanto, evitará os ladrões de energia.

Pergunte-se sempre: "Essa atividade vai me levar mais perto do meu propósito?". Questione-se sempre sobre suas ações, se realmente valem a pena. Foco e disciplina sempre até virar hábito.

Mesmo que a atividade seja rápida – 5 minutos –, mas ela não irá te levar a lugar nenhum, não faça! Lembre-se: o tempo é precioso. Esse valor não é sobre o quanto você ganha hoje, mas sim sobre o quanto você ainda pode produzir. Quando você aprende a valorizar o seu tempo, aprende também a valorizar o seu tempo de produtividade.

Não deixe a inconstância ou a preguiça tomarem conta de você. Coloque tudo para trabalhar a seu favor.

Não procrastine! Faça o que você tem que fazer agora. Sempre comece pelo mais difícil e já tire da frente. Quando você coloca o mais complicado para depois, o seu cérebro automaticamente já está gastando muita energia pensando como você fará tal atividade.

Uma boa técnica é ter foco total durante 25 minutos de trabalho, foco total. Passado esse tempo, permita-se ter cinco minutos para tomar uma água ou ler sobre um outro assunto. E, então, volte para a sua atividade primordial. Você vai doutrinando a sua mente para a produção. Tempo é vida! E já que só temos uma, vamos tocar o terror na Terra para conquistar o nosso propósito.

Você procrastina?

Identifique e liste quais são os ladrões de energia de sua vida.

Estabeleça uma data para que esses ladrões parem de roubar sua energia e produtividade.

Analisando sua lista de ladrões de energia, crie novos hábitos. Escreva aqui os três principais.

CAPÍTULO 5

O TEMPO É O TRILHO; VOCÊ, O TREM!

N

Novos hábitos

Quantas segundas-feiras vêm e vão e você não consegue tirar os seus sonhos do papel? Mas por que esperar pela segunda-feira se você pode começar agora, neste exato momento? Você é o condutor da sua própria vida. Não escolha o caminho da procrastinação. Crie novos hábitos para que tudo possa fluir em sua vida.

Como já dissemos, o tempo é o bem mais precioso que temos. Minha orientação como mentor é que você tenha tempo para Deus, para sua família e para a realização dos seus projetos. Qual é o seu planejamento para conquistar isso? Quais hábitos terá que dispensar para realmente valorizar o seu tempo?

Não importa a sua circunstância atual. A sua vida apenas irá fluir, se você decidir tomar as rédeas dela.

Seja o melhor trem

Você tem a impressão que as 24 horas do dia não são suficientes para tudo que tem que realizar? Mas, acredite, elas são mais que suficientes. Sabe o que eu descobri nesta última década? Não existe gestão do tempo! Existe a gestão da sua vida! O tempo é o trilho, e você, o trem. Você pode escolher parar, aumentar a velocidade, mudar a rota, mas não é possível mexer no trilho. É possível, sim, transformar o caminho do trem. E só você tem esse poder!

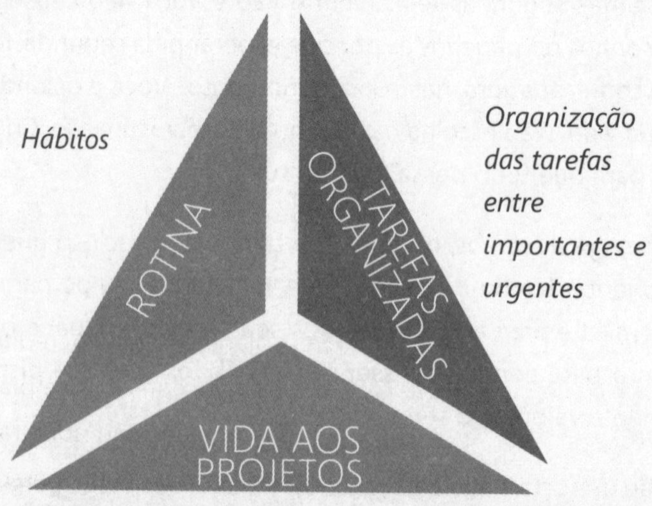

Quando criamos o hábito das atividades necessárias com horários, tudo flui melhor. Por isso, a organização de uma agenda diária é extremamente necessária. É natural você olhar a vida do vizinho e achar que a rotina dele é mais simples e que ele tem mais tempo. Mas será que você tem essa visão porque está procrastinando? Deixando realmente para depois o que precisa fazer agora? Mesmo que apareçam mil desafios durante o dia – e vão aparecer – isso não pode lhe atrapalhar em suas determinações para aquele dia.

Não espere o último dia para fazer uma atividade que precisa entregar. A chave do sucesso é fazer um pouco por dia. Faça, não deixe para amanhã! Crie o hábito, pois tudo fluirá melhor. Por isso, ao término de um dia, já escreva as atividades do próximo. Mas não faça de qualquer jeito, e sim por colunas. Quais são realmente as prioridades? E as mais importantes? E as urgentes? Tudo tem um *deadline* para ser cumprido e, é por meio desses prazos, que você precisa estabelecer o seu cronograma.

PRIORIDADES	TAREFAS IMPORTANTES	TAREFAS URGENTES

Defina isso diariamente em seu planejamento. Acredite, ninguém irá fazer a sua parte. Quanto mais cedo você inicia esse planejamento, mais a sua rotina fica adequada. E lembre-se: não adianta querer ser organizado na sua vida profissional e deixar sua vida pessoal de qualquer forma. É preciso encontrar um equilíbrio entre ambas. Se você parar para pensar até Deus se organizou para criar o mundo. Teve um dia certo para acontecer cada coisa. Ele não fez tudo de uma vez, pois tudo que queremos fazer de uma vez não vai dar certo. Em todas as histórias da Bíblia, tudo teve uma organização. A própria história de Noé teve um planejamento para levar os animais para a arca.

Por isso, se você sente que a sua vida está um pouco travada, comece olhando a sua organização. Qual é o planejamento da sua vida? Para quem não tem um plano, qualquer destino vale. Já pensou nisso?

Exemplo: "Eu quero trocar de carro". Você precisa pontuar o quanto precisa ganhar mês a mês e quais estratégias fará para consolidar isso até alcançar esse plano. É necessário colocar um prazo para todas as coisas. Quando a gente não tem uma data certa, é comum irmos "empurrando". Já quando definimos um prazo, temos tempo para conquistar. A determinação não deixa as coisas soltas. Os prazos nos ajudam a concluir as tarefas. Caso contrário, você continuará procrastinando. A procrastinação é a ladra da alma! Isso porque todos os seus anseios e desejos estão em nossa alma.

Não fique perdido dentro da sua própria vida! Como sua rotina pode ser aperfeiçoada para conquistar os seus objetivos? Quais hábitos devem ser incluídos e excluídos? Se você não fizer um bom planejamento, a sua vida não vai sair do lugar. Não fique contando com a sorte. Não fique esperando que alguém vai lhe entregar pronto aquilo que você tem que fazer. Às vezes, algumas pessoas podem até ver nossa necessidade e nos ajudar, mas será pontual. A real transformação precisa partir de você.

Até para ter tempo para Deus nós precisamos nos organizar. Todo dia vai passar e, no final, você vai reparar que não teve nenhum minuto para Deus. A mesma coisa pode acontecer com seu cônjuge e com seus filhos. A nossa rotina pode nos engolir diante de tantas tarefas, mas, se você tiver planejamento, isso não irá acontecer. Defina quais são as suas prioridades e você verá como sua vida irá fluir muito mais.

O seu tempo é muito precioso. Não gaste seu tempo com coisa à toa. O tempo é uma das coisas que temos de mais precioso na vida. Porque, quando o tempo parar, acabou. Por isso, planeje-se! Organize-se! Não faça seu planejamento apenas no final do ano. Faça mês a mês, dia a dia. Não banalize, leve isso muito a sério. É a sua vida! Não deixe para depois, não procrastine. Faça a sua vida acontecer melhor agora.

Organize-se!

Quanto tempo você tem gasto com *feed* de notícias e TV? Troque 20 minutos do seu tempo gasto em Internet e redes sociais pela leitura de um livro. Escreva abaixo seu novo planejamento.

Você tem um aplicativo para gerir duas atividades? Dica do Titi: comece hoje a utilizar o Trello. Liste suas prioridades no Trello. Faça isso por três dias e escreva abaixo qual foi o resultado.

CAPÍTULO 6

O MAIOR DE TODOS OS PLANOS

O Plano

É essencial ter um plano em sua vida, seja no âmbito pessoal ou profissional. Isso porque o plano é capaz de lhe dar um norte. É importante não seguir o plano à risca. Como assim? Os desafios podem – e provavelmente vão – mudar no meio do caminho, assim você precisa se adequar a essas mudanças.

Você terá planos concluídos e outros frustrados. Mas você não pode esquecer o principal plano de sua vida. Qual é? Eu revelo aqui neste capítulo, assim como também explico como é crucial estar preparado para os impactos que podem aparecer.

O Primeiro soco

O soco é o primeiro passo para ter um super plano. Certa vez, ouvi assim: "Você tem o plano até levar o primeiro soco", isso falando de luta. Você faz todo o plano para lutar, mas, ao tomar um soco, terá que jogar o plano fora. No momento do soco, você vai querer sua mãe, ganhar um colo, menos lutar por algo. Quando você toma um soco no queixo, é similar a um carro que bate no muro. Contudo, o soco ainda dá para você lutar; já o carro, quando bate bem de frente, acabou. Diante disso, entendi que um plano verdadeiro tem que ser aquele que você já deve esperar por um possível soco. A primeira linha do seu plano deve ser tomar o primeiro soco. Para quê? Para ver se você aguenta o tranco.

O que pode ser um primeiro soco? Não ter ninguém que te apoia no seu plano, por exemplo. Ou, então, você largou a empresa que trabalhava para abrir seu próprio negócio. Ficar sem o seu salário no mês já é um primeiro soco.

E se você aguentar o soco, é porque aguenta a porrada que pode vir a seguir. Agora, se você ficar no melindre, não vai aguentar o tranco! Esse primeiro soco lhe dará a resistência. A maioria das pessoas faz de tudo para os negócios não darem errado. Eu já faço de tudo para dar errado o mais rápido possível. É preciso traçar uma rota para saber onde você precisa chegar, já sabendo de todos os imprevistos que podem acontecer pelo caminho.

Está preparado?

Trace o seu plano abaixo, já se planejando para tomar o primeiro soco. Lembre-se: se você passar pelo primeiro soco, quer dizer que o plano vale a pena!

É bom, mas não serve para nada

Deus faz um plano para sua vida, mas você poderá fazer de tudo para não acontecer também. Deus faz o plano, mas Ele não te obriga a cumpri-lo. Seu pai e sua mãe, por exemplo, tinham um plano para você ser médico, mas você não seguiu o plano. O plano serve para te dar um rumo, e não para lhe prender. Sendo assim, quem não tem um plano está sem rumo. Contudo, a melhor parte da vida é: no meio do plano tudo pode mudar. Então, muitas vezes, o plano pode não servir para nada! É para mexer com você? Sim, mas o plano te dá um rumo e, nesse contexto, é preciso saber que mudanças podem acontecer.

Não há nada mais deplorável do que uma pessoa fazer um plano de dez anos e segui-lo à risca. Ao longo do caminho, com as próprias mudanças que vão acontecendo, algumas coisas não fazem mais sentido e, portanto, não devemos prossegui-las.

Diante disso, você pode estar se perguntando: é melhor ficar sem plano, seguir fixo em um plano ou deixar aberto para o plano mudar? O vento é a prova de que os planos precisam mudar. Em um veleiro, por exemplo, o vento ajuda a dar uma direção, já, com a vela, é possível moldar essa direção. Então, este é um plano que estou fazendo. Contudo, nesse caminho, temos que ter a consciência que o vento pode mudar a direção e você terá que refazer o plano. Sendo assim, os planos não podem ser rígidos. A rigidez deve estar em seus princípios, os planos não.

Você não pode se prender aos planos passados. É preciso estar em movimento com tudo que acontece e ir moldando novos caminhos e estratégias. E não se assuste com isso. Fique em paz, é assim mesmo a vida inteira!

Mude os planos, se for preciso

Trace seus planos para curto, médio e longo prazos. Mas lembre-se: o plano vai mudar no meio do caminho e, portanto, esteja conectado aos novos rumos para que os planos estejam também na nova direção certa.

Rumo X Destino

Lembre-se desde já: para quem não sabe para onde ir, qualquer caminho serve! Quando você não está rumado para algo, está à deriva. Sendo assim, ter um plano é fundamental. Você pode até rasgar o plano, mas não fique sem um. Se você viver aleatoriamente, irá gastar muita energia! E aí, você perde o rumo da sua vida. É como você navegar em alto mar e, muitas vezes, não saber se está indo ou voltando.

O plano não te leva a destino nenhum. É preciso sempre estar avaliando cada atitude, pois algumas ações precisam ser abandonadas para que você consiga o destino realmente que deseja.

Se você quiser terminar tudo o que começa, certamente, ficou obstinado na vida. Nós precisamos de um rumo, mas uma coisa que não faz mais sentido não precisa ser terminada por orgulho. Se não faz sentido, não se faz necessário.

Não se afobe com o destino. Muita gente quer saber o destino final, mas esse nós sabemos já: é o paletó de madeira. Mas para que falar da morte? Porque esse é o destino final para todos. Depois da morte, você vai estar conectado com a vida eterna.

Tenha um plano para dar um próximo passo. Depois desse passo, tenha consciência que pode não vir o passo 2. Pode vir um salto!

Eu sei que você tem que programar as coisas com o pé no chão, mas quem tem pé no chão não voa. Acredite, por mais que você tenha escutado de seus pais que é preciso ter pé no chão, algumas vezes, você terá que arriscar para conseguir dar saltos.

Foque no rumo, pois tendo um, independentemente do lugar que seja, irá prosperar.

Coragem!

Escreva abaixo quais são as coisas que você precisa deixar para trás. E também qual é o seu rumo.

____
____
____
____
____
____
____
____
____
____
____
____
____

O que não pode faltar

Se você é uma pessoa exponencial, se você leva sério a sua vida, de cumprir o seu propósito, de transbordar na vida dos outros, é importante saber que os planos serão frustrados. Mas não saia sem um rumo, tem que ter um. Se você tem um rumo, você tem a garantia que está gastando energia com o que faz sentido hoje.

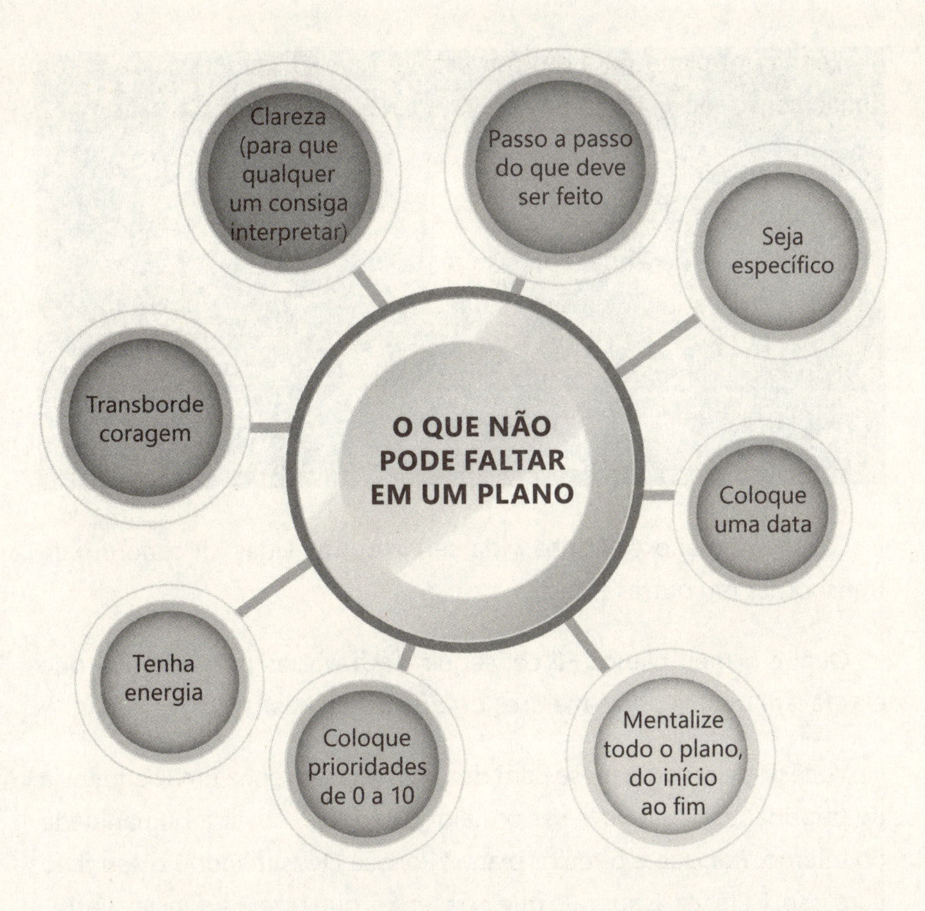

O rumo é o hoje. O destino é o amanhã sempre. Quando o destino chegar no hoje, acabou.

Seja sempre específico: você quer vender muito na Internet. Mas o que é muito? O que você vai vender? Quando você traça um rumo específico, sua mente consegue visualizar e a energia fica mais intensa em realizar. Não pode faltar a mentalização do rumo. Minha orientação como mentor é você ter um plano para poder prosperar! Caso contrário, você será aleatório ou estará inserido nos planos de outras pessoas.

O maior de todos os planos

Qual é o maior de todos os planos? Não é comprar uma *Lamborghini*, nem uma casa em Beverly Hills e nem uma *Ferrari*. Nada disso! O maior dos planos é você terminar a sua vida e dizer: "Combati um bom combate, cumpri a carreira, guardei a fé" (Timóteo 4:7).

O grande plano é "Minha vida servir outras vidas". Prospere para transbordar em outras vidas!

Qual é o meu plano? Eu conseguir destravar as pessoas para que elas façam muitas obras maiores do que as minhas.

Você pode ter uma mesa com dez planos, mas tenha uma sequência de prioridades. Qual deve ser o maior de todos? Salvar a humanidade do inferno. Por que é o maior plano? Porque Deus mandou o seu filho para isso. E Ele fez. E agora o que nós temos que fazer? Anunciar, entregar uma mensagem. Ou seja, independente do que você faça em sua vida, deverá ter um propósito maior. Acredite, o maior plano de todos somos nós na eternidade com Deus. Ele planejou isso no Éden, mas o homem não quis. Então, Ele disse: "Então, eu te vejo no final". Só que a maioria dos filhos não entendeu isso até agora.

Por isso, quero chamar a sua atenção: não desvirtue do principal plano! Tenha intimidade e unidade com Deus. Tenha a expansão na sua consciência que você é um com Ele.

É como um plano de saúde ou um plano de seguro de carro – você só dará o real valor quando realmente precisar dele. Talvez você nunca precise usar de fato o seguro, mas pode ser que realmente necessite. E isso pode fazer a diferença em sua vida. O plano lhe proporciona um resguardo e, com isso, você se sente mais seguro para viver.

Você pode ter planos frustrados, mas, em cada plano que não deu certo, você irá amadurecer muito. São grandes experiências que terá ao longo do seu caminho. Por isso, faça todos os planos que necessita fazer em sua vida, não se esquecendo, de forma alguma, do plano maior de todos.

Reflita e pontue abaixo

A vida que você está vivendo faz você cumprir o seu propósito? Você tem intimidade e unidade com Deus? Sabia que, se você estiver conectado com planos eternos, vai fluir muito mais rápido?

Por isso, escreva aqui abaixo quais são os cinco principais planos de sua vida.

CAPÍTULO 7

"O QUE LHE TROUXE ATÉ AQUI NÃO TE LEVARÁ ATÉ LÁ"

A Mudança

Como eu já disse nos capítulo anteriores, para progredir, é preciso se mover. Não pense que tudo que conquistou até hoje é o bastante para não se movimentar ainda mais. Acredite, o combustível que lhe trouxe até aqui não tem mais força para te levar para lá. A mudança tem que ser contínua. Contudo, não adianta apenas melhorar ou mudar. É preciso fazer uma transformação em sua maneira de ver a vida.

Neste capítulo, eu te ensino a fazer o plano cartesiano de sua vida financeira e espiritual, a fim de você analisar os seus progressos e movimentos. Vem comigo, pois estamos juntos até depois do fim!

A única certeza

Você pode se questionar: "Como eu mudo"? Acredite, não tem como não mudar. Ou você está mudando para melhor ou pior. A estabilidade não existe. A única certeza que temos na vida é que tudo vai mudar!

Já estive em empresas em que as pessoas falavam: "Eu não aguento tantas mudanças nesta empresa", sempre se vitimizando. A empresa em questão mexia muito no quadro de funcionários, nos serviços... era insuportável, para falar a verdade. Mas eu percebi: as pessoas que gostavam de mudar foram aquelas que mais cresceram. Então, anote este código poderoso: mude rápido!

Para ter a verdadeira mudança, é preciso colocar as novas ações em prática! Posicione-se! É preciso se mover! Faça as tarefas propostas neste livro, por exemplo. Você já ficará com a mentalidade diferente.

Não tem como não estar aberto às mudanças. O próprio ambiente te movimenta, sem você querer. Ou você se move ou será movido. Não insista em ficar no mesmo lugar. Você não vai prosperar. O próprio fato de a Terra ficar girando sempre já prova para você que não dá para ficar parado.

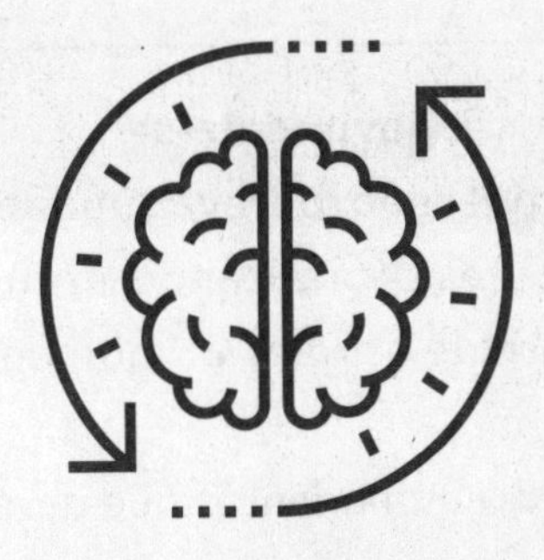

As pessoas que têm mais índice de mudança na sua história possuem mais processos de ressignificação. Os grandes líderes do Vale do Silício, na Califórnia, Estados Unidos, têm algo em comum: eles mudaram muito de escola e muito de casa. Quando você conhece muitas pessoas e muitos lugares, você teve que passar por um processo de ressignificação. O que significa? Você lidera nos lugares que você chega.

O contrário da mudança é o apego. O apego é "não vou perdoar", é se lamentar por ter feito algo errado. Tudo que é apego faz você gastar mais energia, irá ficar repetitivo. Você não pode ter apego no mundo dos negócios, senão eles não irão alavancar. Existem negócios que você tem que jogar no lixo! Se você manter aquilo, você vai quebrar, deixar de prosperar de forma absurda, tudo porque você não estava preparado para a mudança.

Então, qual é a única certeza que você tem agora? A mudança!

Movimente-se!

Você está se movendo? O que você entendeu sobre a única certeza? Escreva abaixo as suas considerações mais importantes.

____

____

____

____

____

____

____

Movimente-se!

Entenda, se você ainda não obteve mudança, é porque você não está agindo, não está praticando e/ou transbordando na vida das pessoas. Pare de esperar o "momento certo" e comece a se mover agora!

Escreva abaixo quais são as mudanças que deve fazer:

Faça, pelo menos, 3 coisas diferentes hoje. Quais serão?

Relate quais foram os pontos positivos e negativos por ter decidido mudar fazendo a tarefa anterior.

Potencialize esses pontos positivos e ajuste os pontos negativos dessas experiências.

Transborde o que você aprendeu com, no mínimo, 3 pessoas.

Melhore, mude e transforme

Nunca fique satisfeito com as mudanças que você já fez! Não é nem a sombra que há de vir. Vou te ensinar um código pesado! Existem três níveis e, quando percebo que estou em um nível inferior, eu imediatamente me posiciono para chegar no melhor nível.

1º NÍVEL: MELHORA

Cuidado com o processo de melhora, pois ele pode ter volta. Este nível é provisório e temporário. Tem prazo de validade.

2º NÍVEL: MUDANÇA

Conhece aquela frase: "Nossa, você muda toda hora! Desse jeito, não vai dar em nada!" Se eu tivesse levado isso ao pé da letra e ficasse preso em uma única coisa, eu não estaria, neste momento, transbordando agora na sua vida. Só cheguei onde estou hoje pela quantidade de mudanças que eu me envolvi, pelo tanto que estudei. Contudo, a mudança é um reposicionamento geográfico, e ele pode ser alterado e, portanto, também tem volta.

3º NÍVEL: TRANSFORMAÇÃO

Esta não tem volta. Aqui, você é ativado, o que é diferente de empolgado. Pois, ao acabar a empolgação, você volta para o estágio anterior. Já quando você é ativado, não tem mais volta. Quando a borboleta bater a asa, o casulo perdeu a vez. Quando o nenê nasce, não tem como voltar para a barriga. E quando sua empresa prospera, você não aceita mais trabalhar para os outros.

A melhora e a mudança não são ruins. É que se você viver delas, sempre vai pensar em voltar atrás. Pare e pense agora: em qual nível você está? Se for nos dois primeiros, posicione-se para fazer a verdadeira transformação. Mova-se! As suas chances de sobreviver são muito maiores. Isso é um código de guerra. Mas isso não é simplesmente para sobreviver, e sim para tocar o terror na Terra!

NÃO FAÇA ESSAS TAREFAS!

Nunca fique satisfeito com a quantidade de mudança que você está tendo. Isso não é nem a sombra daquilo que há de vir. Relate abaixo as principais mudanças que você já fez na sua vida.

Em qual dos três níveis você se encontra hoje?

NÃO FAÇA ESSAS TAREFAS!

Nunca fique satisfeito com a quantidade de mudança que você está tendo. Isso não é nem a sombra daquilo que há de vir. Relate abaixo as principais mudanças que você já fez na sua vida.

Em qual dos três níveis você se encontra hoje?

Por qual nível você deve mudar? Por qual motivo?

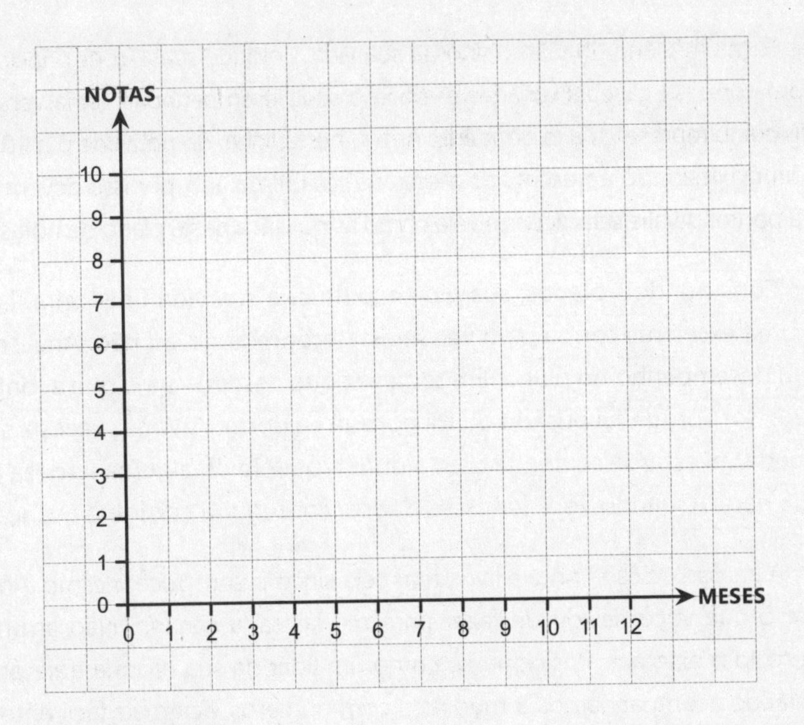

Plano cartesiano

O plano cartesiano é um objeto matemático plano e composto por duas retas numéricas perpendiculares, ou seja, retas que possuem apenas um ponto em comum, formando um ângulo de 90º. Esse ponto comum é conhecido como origem e é nele que é marcado o número zero de ambas as retas.

Neste seu plano cartesiano, você pode ter momentos de crescimento e de quedas – até porque a vida é cíclica – mas é importante você continuar crescendo.

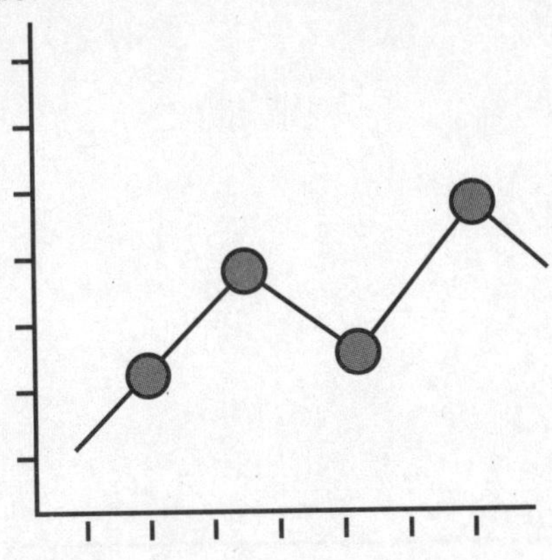

Faça um plano do último ano da sua vida. Coloque suas ações principais com cores de canetas variadas e avalie o seu desempenho. A linha vertical do plano representa a quantidade. Assim, nesta linha, dê notas de 0 a 10. Já a linha horizontal representa os meses de seu último ano, por isso devem ter 12 pontos. Avalie suas ações e veja como as qualifica neste plano de notas.

Construa dois planos: sua vida espiritual e sua vida financeira. Isso é uma excelente forma para ver se está progredindo ou não. Analise o seu desempenho no plano. Em toda vez que descer, veja o que aconteceu: "foi porque fui ousado ou foi porque eu dormi?". Várias vezes a sua queda vai estar relacionada com algum bloqueio ou alguma lerdeza da sua parte. Quando você ler esses dados, conseguirá corrigir e avançar.

A análise de cada nota é livre, mas seja sincero com você mesmo. Analise o que você deixou de fazer para mudar cada cenário. Não arrume desculpas externas. Posicione-se como um líder da sua própria trajetória. Quando acompanhamos a mudança com números, fica mais fácil entender. É a chamada "Business Inteligence" (BI). Contudo, não é somente ter volume de dados, mas sim saber o que fazer com esses dados.

Analise seu crescimento

Desenhe o plano cartesiano de sua vida espiritual e financeira aqui:

Após ter feito os planos cartesianos, faça uma análise minuciosa dos pontos de pico, tanto alto e baixo, e anote o motivo de ter chegado nesses picos. Faça as principais anotações aqui.

Tenha um olhar analítico nas áreas da sua vida e faça esse gráfico de forma constante.

Movimento

Todas as coisas se movem. Networking é você saindo e se conectando com as pessoas. Criatividade é surgir ideias de dentro de você. Venda é a produção de um benefício. Negócios, Humanologia, inteligência emocional... tudo é movimento! E tudo se move! O vento, o fogo, a luz e a água se movem. Quem não se move? Você! É preciso se mover!

Deu vontade de mudar de casa, de carro, de negócio? Mude! "Pablo, mas eu posso me arrepender", você pode pensar. Sabe o que você vai se arrepender? Quando você estiver bem velho, irá se arrepender de não ter feito algo. Das coisas que você fez, mesmo que não tenha dado muito certo, geraram aprendizado e deixaram você mais forte. Eu não me arrependo de não ter feito ou de ter feito. Se você se arrepende de muita coisa, cuidado! O seu cérebro vai ficar covarde. Tirando a questão do pecado e o de ferir alguém, não é preciso mais se arrepender de nada.

Então, se há movimento em tudo, por que você ainda não se moveu? Por que você não está ganhando dinheiro na Internet, por exemplo? Porque não está se movendo... Tem grandes possibilidades, mas não se move! O segredo está em se mover. Toda vez que você se mover geograficamente ou em qualquer área, consequentemente o seu cérebro irá mudar. No que você precisa se mover para chegar onde quer? Faça o que precisa ser feito, não postergue mais.

Não faça, se não quiser evoluir

O que você entendeu sobre movimento?

Você está em movimento ou está parado?

Caso esteja parado, o que você ganhou ou aprendeu com isso?

Caso esteja em movimento, o que você ganhou ou aprendeu com isso?

- Planeje uma mudança de baixo nível e execute ainda hoje.
- Planeje uma mudança de médio nível e execute ainda nesta semana.
- Planeje uma mudança de alto nível e execute ainda neste mês.

Escreva quais são e quais serão suas mudanças nesses três níveis.

Transborde o que aprendeu com, no mínimo, três pessoas.

A mudança deve ser contínua

O combustível que foi colocado no tanque do carro e que te trouxe até aqui já evaporou, ele não consegue te levar a mais nenhum lugar. Por isso que muitas pessoas famosas no passado sofrem hoje dificuldades. Isso porque elas acharam que tudo já conquistado era o suficiente e não precisaria fazer mais nenhum movimento. O que você precisa agora? De mais combustível para continuar mudando, se movendo, tendo novos caminhos e aprendizados.

Experimente outras emoções para lhe dar novas ideias, novos ares, novas frequências.

Vá para um lugar que lhe deixe desconfortável. Você vai fazer uma parte do seu cérebro que está inativa voltar a funcionar. Eu, por exemplo, entrei para o automobilismo. Eu não precisava disso no momento que estou em minha carreira, mas ousei para experimentar novas sensações. Sim, será ótimo para o *branding* das minhas empresas, mas não é só isso. É preciso se movimentar e fazer novas conexões. Quando este livro acabar, por exemplo, continue mudando. Não deixe a transformação para depois. Você irá ganhar um poder gigantesco no cérebro de ressignificar as coisas mais facilmente. Não se arrependa de ter tomado uma decisão que parece estar errada naquele momento. Deus não exclui nenhum ingrediente que você tem; Ele vai usar tudo que já tem em prol de seu propósito.

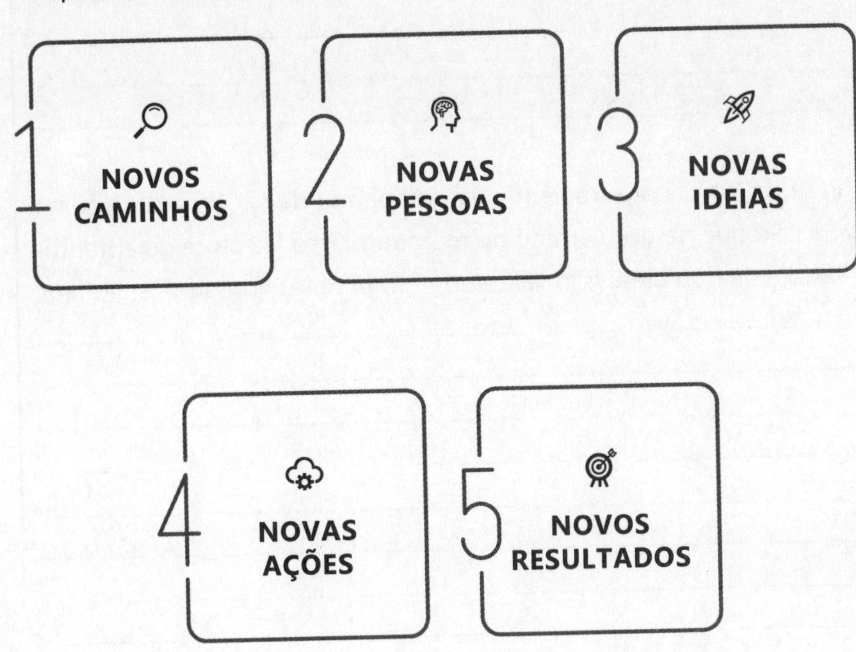

Mova-se sempre!

Qual foi o código que mais fez sentido para você neste capítulo? Por quê?

Tome uma decisão ainda hoje e vá para algum lugar que te deixe desconfortável. Relate o que você mais aprendeu com essa experiência.

Pare de olhar para trás e não se arrependa de ter tomado alguma decisão que pareceu errado no momento. Isso faz parte do aprendizado e da boa obra. Isso vai te fazer ou já te fez amadurecer. Reflita.

CAPÍTULO 8

HUMANOLOGIA

Comportamento humano

Se tem algo importante para prosperar, é entender sobre o comportamento do ser humano. Isso faz toda a diferença no seu jogo.

Contudo, antes que a gente siga em frente, você sabe o que é a humanologia? É a ciência que estuda o Ser Humano. É o ato ou efeito do Humano de fazer todas as coisas ficarem naturais, humanas e de sair do robótico.

Neste capítulo, você vai aprender como ser mais humano para se conectar com as outras pessoas. O primeiro passo é se conhecer – entender o seu perfil e conhecer as suas habilidades são essenciais, pois só assim você irá entender o outro.

Nas páginas seguintes, descubra quais são os três cérebros, a importância da adaptação do Ser Humano, o que é o algoritmo humano, a diferença entre coletivo e individual, além de perfis e crenças. Então, siga em frente, leia as páginas com atenção e coloque todas as tarefas em prática!

Três cérebros

Antes de entendermos o que são os três cérebros, é importante entender a fundo o que é humanologia. Esse conceito é o ato ou efeito do humano de fazer todas as coisas ficarem naturais. E o que é o contrário do humano? É o robô, o robótico. Estamos falando disso, porque a tendência do ser humano é se robotizar, porque o cérebro gasta energia e, para economizá-la, as pessoas acabam ficando robóticas.

Agora, que você já entendeu o que é essa ciência, vamos explicar quais são os três cérebros:

- O primeiro cérebro é aquele que conhecemos, que fica guardado abaixo do seu crânio e tem como foco não morrer.
- O cérebro número dois é o coração, que tem memória própria.
- E o terceiro cérebro é o intestino, que tem mais cortisol (hormônio que gera o estresse e o medo).

Quando você entende o comportamento do ser humano, vê que as pessoas fazem besteira por conta do medo, outros fazem por conta da emoção, e há ainda aquelas que não fazem as coisas por causa do racional. Então, cada um age com base em um cérebro.

Por que estamos explicando isso? Porque a mente é muito poderosa e, quando você entende o comportamento das pessoas, o jogo fica mais claro. Portanto, seja um cientista do comportamento humano.

Uma prova do quanto isso é importante é que as grandes empresas de redes sociais sabem tudo sobre comportamento humano. Você precisa aprender a ler esse comportamento tanto para ajudar a si mesmo, como também para ajudar a potencializar a vida de outras pessoas.

Coloque em prática!

Estude algo sobre o comportamento das pessoas. Reflita sobre os 3 cérebros e faça anotações em tópicos sobre as suas observações.

Hora da prática

Comece um processo de adaptação. Trace novos tópicos para começar a se adaptar, faça pesquisas, coloque em prática tudo o que já aprendeu até aqui. Saia da sua zona de conforto!

A importância da adaptação

Coloque uma coisa na sua cabeça: não há como vender sem entender o comportamento humano. E quando você começa a entender sobre comportamento, precisa entender sobre adaptação.

Por exemplo, se você perde as mãos, você aprende a tocar piano com os pés. E por que você não aprende a tocar com os pés desde o início? Porque o seu corpo não quer despender energia para algo que ele não precisa no momento. O fato é que o corpo perde a capacidade em um ponto e canaliza para o outro.

Nós nos adaptamos a todo o tipo de coisa que quisermos. A humanologia é totalmente adaptável e aponta sempre para o natural.

E, acredite, não é difícil fazer essa adaptação. Se você se adapta a coisas ruins, por que não vai se adaptar a coisas boas? A explicação está no fato que, para conquistar coisas boas, você gasta energia. Quando você cria um hábito, como acordar cedo, você se adapta e ele vira seu. Para seguir o processo de adaptação, é só incluir a nova ação na sua realidade, e ele vai se tornar um hábito.

Se você quer prosperar, vai precisar se adaptar a algo novo. A maioria das pessoas não quer se adaptar, e sim deseja que as coisas sejam do jeito delas. Existe o mundo real e o ideal, as pessoas querem viver no ideal. A adaptação é quando o ideal sai para o mundo real. Quando você sai do seu mundo imaginário e vai para o mundo real, você se adapta e deixa o idealismo de lado. Quando você vai para a prática, automaticamente, conecta-se com a realidade!

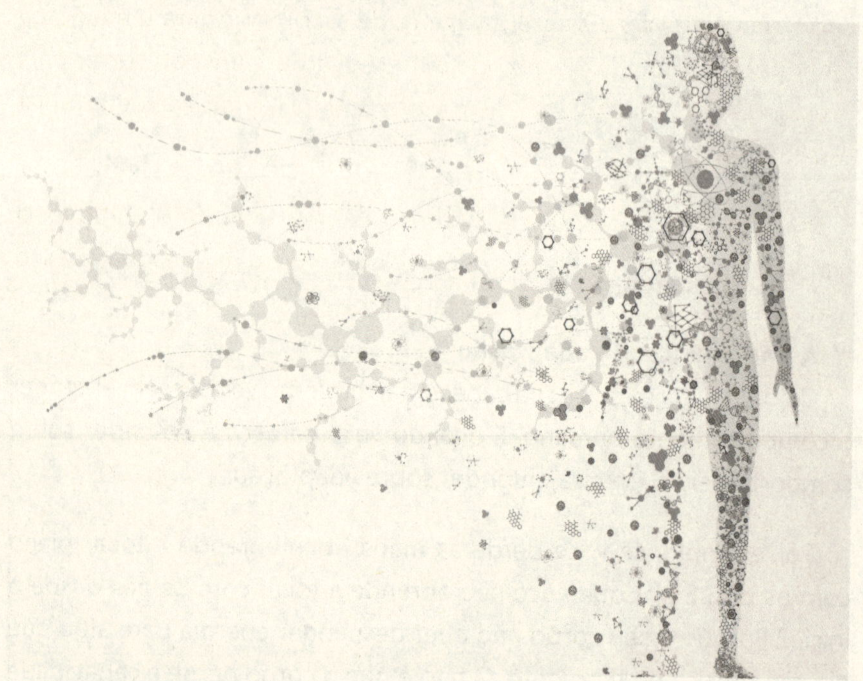

Algoritmo humano

O algoritmo é a tomada de decisão já formatada. Assim como as redes sociais têm o algoritmo delas, os humanos têm o algoritmo deles. E nós somos submetidos a vários tipos de algoritmos. Uma coisa é o que Deus disse, outra o que foi configurada pelos seus pais, outra pela sociedade, etc.

O segredo está em focar nos algoritmos originais, porque, quando a pessoa não foca nisso, pega para si os algoritmos mentirosos. Por exemplo: um algoritmo mentiroso é o do consumo, o do "trabalhe sem parar", o do medo, enfim, são vários algoritmos falsos para mantê-lo alienado.

O algoritmo humano é o natural e, se você não prospera, tem algo de errado acontecendo. São esses algoritmos que determinam os seus resultados. Se eles estiverem mal configurados na sua cabeça, você não terá sucesso. Quando entendemos os algoritmos, apertamos o *play* e eles respondem.

Não entendeu o que é o algoritmo? Por exemplo, acontece algo e aí vem a sua tomada de decisão. Você pode escolher ir para um lado ou para outro. Vai chover, você pode abrir o guarda-chuva ou correr para se esconder em algum lugar. Tem um algoritmo aí que vai determinar a sua escolha.

Portanto, regule os seus algoritmos, quebre o vitimismo, coloque na sua cabeça que eles são pensamentos deterministas e que, quando são acionados, você já sabe qual decisão tomar.

Responda à pergunta abaixo

Quais são os algoritmos que lhe impedem de te bons resultados? Faça uma lista e trace novas estratégias para eliminar os "algoritmos falsificados".

____

____

____

____

____

____

Coletivo x Individual

A primeira coisa que você precisa entender é que não existe coletivo sem individual. E tem um problema: o coletivo sempre é burro, porque não tem ninguém pensando, é uma gama de energia sem direção. Toda vez que o coletivo quer resolver algo, não resolve.

Mas você deve estar se perguntando: e a família ou uma equipe de uma empresa, não são um coletivo? Sim, mas eles só prosperam se o indivíduo prosperar.

Vale lembrar que não estamos falando de individualismo, e sim de individualidade. Você é um ser único, individual. Toda vez que tentar se coletivizar vai perder a sua essência.

Entenda a sua individualidade para se amar e prosperar, ter empatia e altruísmo com as pessoas. Na vida, você precisa ser um especialista em gente. É preciso ter o código das pessoas, e esse código está dentro de você. Para entender sobre pessoas, você precisa se entender primeiro.

A grande chave aqui é ser um humano melhor, o mais natural possível. Tenha paciência! Quando você é humano e tem um algoritmo certo, consegue conviver com os outros. Lembre-se que a individualidade é uma das maiores fórmulas de humanologia da Terra.

Coloque em prática

Comece a entender, de fato, o individualismo. Coloque em prática o que aprendeu aqui. Trate as pessoas de maneira individual, cada uma tem a sua personalidade. Seja um humano de verdade!

Perfis e crenças

O mais engraçado na humanologia é que queremos aprender sobre os outros, mas, quando aprendemos sobre nós mesmos, conseguimos saber sobre qualquer pessoa.

Existem vários testes para mostrar o perfil das pessoas, mas saiba que um perfil de alguém não define quem ela é. Contudo, mostra como ela está naquele momento.

Você pode descobrir o seu perfil comportamental em um teste que chama ***Disc***. Ele o ajuda a entender como está, como pode avançar e o que pode fazer. Isso é um temperamento, e isso vai mudando com o tempo. É a mesma coisa com os testes vocacionais. Você pode desenvolver habilidades ao longo da vida, aquilo não diz sobre você, mas, sim, sobre como está agindo no momento.

Quanto mais você entende do seu perfil, entende os perfis das outras pessoas também. O segredo é saber que as pessoas têm perfis, e uma dica para prosperar é aprender o seu perfil e, quando chegar em uma conversa ou em uma palestra, entenda o perfil daquelas pessoas que vão o ouvir. Só assim você irá conseguir ser ouvido.

Quem tem sabedoria e conhecimento tem o poder. E quem tem poder é o maior, pois sabe observar.

Pare de ser um robô! Se você ficar repetindo o passado, você virou um robô. A estabilidade é um certificado de garantia dos robôs!

SEJA HUMANO! Pense, estude humanologia, analise as pessoas, cuide do seu corpo, da vida e aja com paixão para prosperar.

Hora da ação

Pare de ser um robô. Humanize a sua vida!
Coloque em prática tudo o que aprendeu até aqui e tenha a plena convicção de que está se tornando um verdadeiro HUMANO.

CAPÍTULO 9

TRANSBORDE PARA O MUNDO

Repasse os seus conhecimentos

Agora que você já entendeu sobre bloqueios, inteligência emocional, os hábitos das pessoas altamente prósperas e a importância da transformação, é o momento de transbordar com mais intensidade na vida de outras pessoas. Afinal, como eu já disse, repassar o conhecimento adquirido é de vital importância! Não guarde apenas para você.

Com esse propósito, aprender a falar e se comunicar com o outro é uma moeda de ouro. E quando fazemos isso na Internet, alcançamos muito mais pessoas!

Sabe qual é o segredo dessa comunicação? É fazer as pessoas escutarem o que você tem a dizer com toda a sua atenção. Ouvir e escutar são coisas distintas e, nas páginas seguintes, você vai entender melhor sobre isso.

Neste capítulo, você também vai aprender dicas essenciais para ser ouvido, o que é linguagem não verbal, modulação verbal, micromovimento e clareza.

Como ser ouvido?

Eu tenho certeza que, de certa forma, você sabe se comunicar. No entanto, talvez não saiba como chamar atenção das pessoas para ser ouvido... Lembre-se que qualquer pessoa fala, o que estou ressaltando aqui é sobre ser ouvido.

Ao contrário do que muitos pensam, ouvir e escutar são coisas totalmente distintas. Por exemplo, ao escutar você, eu posso ficar em silêncio e ainda captar os ruídos ao seu redor. E isso é simples! Agora, o ouvir é valioso. É quando a pessoa vira o cognitivo e lhe entrega o emocional, prestando atenção realmente no que você tem a dizer.

Afinal, como fazer para ser ouvido? Deixe o seu ego de lado, aquela sensação de superioridade. Caso contrário, as pessoas não vão aguentar ouvi-lo. Ser ouvido é a arte de tocar na alma da pessoa, e não no seu raciocínio.

Adaptação

Minha orientação como mentor é você trabalhar uma comunicação assertiva. Por exemplo, você não pode conversar com o proletariado da mesma forma que conversa com um presidente. É preciso adaptar a sua linguagem ao ambiente para que todos consigam compreender a sua mensagem.

Gere valor

As pessoas prestam atenção quando você desperta algum interesse nelas. Tenha um conteúdo bom, um texto excitante, algo que seja atrativo. Conecte-se com o coração da pessoa. Enfim, o segredo de uma boa comunicação é ser ouvido, portanto, comece a treinar desde já. Se até os robôs se comunicam com o algoritmo, por que você vai levar uma vida sem se comunicar? Pense nisso!

Linguagem não verbal

Antes de seguir em frente, saiba que não estou falando sobre técnicas, o assunto aqui é vida. Comunicação é isso: transmitir vida!

Responda às questões abaixo

Qual a diferença entre escutar e ouvir?

____

____

____

____

____

____

Qual adaptação você precisa fazer para melhorar sua comunicação?

____

____

____

____

____

____

Existe uma teoria chamada Mehrabian que prega o 7%, 38%, 55%. Isso quer dizer que:

- 7% de toda a sua comunicação são suas palavras;
- 38% o seu tom de voz;
- 55% a sua expressão.

Com a expressão, um locutor consegue fazer você se animar ou desanimar. Então, quando você alinha a sua expressão ao seu tom de voz, consegue ter uma comunicação poderosa. E ninguém nasce sabendo, isso pode ser treinado.

Estude palavras que despertem a curiosidade nas pessoas e tenha um tom de voz adequado. Você sabia que as pessoas costumam votar na política em pessoas com voz aveludada, porque elas são mais convincentes? Deu para entender o poder da boa comunicação agora?

Analise o seu universo e responda

Quais os pontos fortes de sua comunicação hoje?

____

____

____

____

____

____

Por que a sua voz precisa ser modulada?

____

____

____

____

____

____

Treine, detecte onde está a sua força: nas palavras, nas expressões ou no seu tom de voz? Analise como você funciona e comece a agir!

Modulação da voz

A modulação é o processo de variação de altura, intensidade ou frequência de sua fala. Na modulação, você precisa aprender a levantar a sua voz, a baixar um pouco e até colocar peso. Essa modulação fará com que a sua fala fique interessante, a comunicação fique leve, pesada ou suave... Falar baixo faz a pessoa aumentar o nível de atenção, mas tem horas que você precisa ter uma fala forte, então é preciso saber o momento de diferenciar e modular a voz.

A modulação vocal é a chave que determina quando uma pessoa realmente poderosa está falando. O poder não vem do dinheiro e nem da influência, e sim da comunicação. O poder de convencimento, negociação e de ser ouvido está na comunicação.

Já a inflexão vocal é quando você está falando em um tom e o diminui. Em um diálogo com outras pessoas, por exemplo, neste momento de descida de tom do outro, é possível conseguir entrar na fala.

Jamais seja um monotom, porque isso é monótono. Lembre-se que não existe uma música de uma nota só. Para existir harmonia, precisa ter a troca de notas e, na fala, é a mesma coisa.

A modulação fará com que você domine uma das maiores artes que existem, a comunicação.

Clareza

Se tem algo importante no universo da comunicação é ter clareza. A comunicação é quando sua fala, a sua expressão ou o seu tom mata a fome do cérebro. O intestino tem fome e precisa de comida, certo? No caso do cérebro, ele precisa de clareza. Quando uma pessoa ajuda as outras a terem clareza, ela se dá bem, pois acaba com a confusão e até reduz prejuízos.

Responda a seguir

O que você precisa aprender para modular a sua voz?

____

____

____

____

____

____

Um grande erro das pessoas é que elas têm muita necessidade de aprovação e dificuldade de fala (lembra que abordei este tema de bloqueio da necessidade de aprovação no início do livro?). E isso só perde treinando, fazendo, gravando vídeos, gerando conteúdo.

Algumas técnicas podem ajudá-lo a trazer mais clareza nos seus conteúdos:

- Ligue pontos em comum com as pessoas;
- Use analogias;
- Faça comparações. Use coisas do cotidiano das pessoas;
- Tente explicar usando sempre três passos, isso facilita a compreensão.

Você já reparou que muitas coisas simples funcionam com o número três na Terra? Por exemplo: próton, elétron, nêutron; passado, presente e futuro.

Entenda que quando você traz clareza resolve o problema das pessoas, ou seja, gera valor. E a sua mensagem só será transferida para o coração da audiência se tiver clareza.

Micromovimentos

Além do discurso na Internet, é importante entender a comunicação presencial. Nesse contexto, uma questão válida é estar atento aos micromovimentos. Sabe quando você está falando e alguém presta atenção, mas você mexe no nariz ou coça a orelha e a pessoa faz a mesma coisa? Isso é um *rapport*, que é uma técnica de espelhamento, ou seja, um micromovimento.

Existem coisas que talvez você não perceba, mas fazem toda a diferença. Por exemplo, quando uma pessoa fala que está com você e faz um sinal de joia confirmando isso, mas joga a cabeça para trás. Isso se chama pêndulo e quer dizer que ela não está com você, é uma forma de rejeição.

Outro exemplo: sabe quando você vai cumprimentar com um aperto de mão? Se a pessoa der a mão e vocês mantiverem a mesma posição, significa uma relação de igualdade. Agora, se ela girar o dorso da mão dela para cima, quer dizer que ela se acha superior, a mesma coisa se você fizer isso.

Um código muito interessante para você saber de micromovimentos é fazer três perguntas que tenha certeza que as respostas serão sim, e mais três que serão não. Isso funciona para conhecer as expressões da pessoa quando ela diz algo positivo ou negativo. A musculatura facial é diferente no sim e no não.

Bons comunicadores usam essa técnica e entram na conversa já com perguntas que sabem a resposta, mas fazem para analisar essas características. Os micromovimentos são importantes porque entregam tudo! Jamais se esqueça: a forma como as pessoas se posicionam diz tudo. E quando você sabe disso, aprende a se controlar para se tornar dominante na comunicação.

Para saber mais, leia:

O Corpo Fala, de Pierre Weil e Roland Tompakow. Editora Vozes.
A Arte de Ler Mentes, de Henrik Fexeus. Editora BestSeller.
Manual de Programação Neurolinguística, de Joseph O'Connor. Editora Qualitymark.

Teste seus conhecimentos

O que é *rapport*?

____

____

____

____

____

____

Como aprender a interpretar os micromovimentos de uma pessoa?

____

____

____

____

____

____

CAPÍTULO 10

GERAÇÃO DE VALOR

Transforme a vida do outro

O segredo para conquistar aquilo o que deseja está na geração de valor. Mas, afinal, o que é isso? Gerar valor é quando você toca e transforma a vida do outro de alguma forma. É plantar uma semente que irá voltar de alguma forma para você no futuro.

Quando você ensina às pessoas, gera conteúdo, compartilha suas histórias, dá ideias, doa o seu tempo, entre outros, está gerando valor para as outras pessoas.

Mas um ponto importante é que, para gerar valor, é preciso ser uma pessoa relevante! Você sabe como fazer isso? Se a resposta for "não", sem problemas. Neste capítulo, falaremos sobre a diferença entre valor e preço, como se tornar relevante, sobre a importância de plantar sementes para colhê-las no futuro e até mesmo sobre como encontrar o seu valor.

Ficou interessado? Então, papel e caneta na mão, porque este capítulo tem conteúdos incríveis que vão fazê-lo desbloquear mais um passo importante rumo à prosperidade. Siga em frente e vá cuidar da sua vida!

Valor x Preço

Você sabe a diferença entre preço e valor? É muito simples. O preço é o dinheiro que você deixa na loja, já o valor são os benefícios que aquilo/produto oferece para a sua vida.

Uma boa dica é nunca contar o preço antes de demonstrar valor. Tenha em mente que o preço sempre será caro, se você não souber mostrar o valor de algo.

Na maioria das vezes, as pessoas têm um produto ou serviço bom, mas elas não conseguem subir o preço, porque elas não conseguem agregar valor ao que oferecem.

Se você tem valor, você vira sócio do negócio, mas, se você vende uma hora por um preço, você não está entendendo o que estamos dizendo. O preço é o que fica, o valor é o benefício, o que você leva.

E agora é a sua vez, pense e responda com sinceridade: você é uma pessoa de preço ou valor?

Potencialize sua relevância

Você quer gerar valor, mas se acha irrelevante? Antes de mais nada, não existe uma pessoa irrelevante na Terra. O que há são pessoas que não descobriram a sua relevância ainda.

Existem três níveis de relevância: o dia que você descobre o seu poder, o dia em que o potencializa e o dia em que você é descoberto pelos outros.

Teste seus conhecimentos

O valor está na identidade. Tenha clareza ao explicar aqui abaixo a diferença entre preço e valor.

____

____

____

____

____

____

Qual é o seu valor? Que valor você gera para as pessoas?

____

____

____

____

____

____

Quando serei descoberto? No dia em que tiver potencializado aquilo que você descobriu. Se você descobre, você ativa, potencializa e é descoberto.

Ficou confuso? Calma que vou explicar! O fato é que as pessoas só vão descobri-lo, quando o seu valor ficar exposto. Se você contar uma história errada, que não é sua, ou não contar, você vai ter uma relevância muito baixa. Use a sua história para se conectar com as pessoas e potencializar a sua relevância.

Existe a chamada Síndrome do Impostor, que o seu cérebro não acredita que você seja tão importante ou relevante, mas você é. Ative e aceite a sua relevância!

Para potencializar a relevância, você pode apostar no Instagram, que irá ajudar a amplificar a sua relevância. Você precisa ser visto para ser lembrado! Sair de casa para ir em eventos, criar coisas que sejam divulgadas, enfim, tudo isso vai ajudar a potencializar a sua relevância. Portanto, invista em ser descoberto. As pessoas esperam pela sua mensagem. Pare de esperar pelas condições perfeitas!

Agora é sua vez!

Quais os três níveis de relevância e em qual você está?

____

____

____

____

____

____

Faça seu plano de ação para ativar os três níveis de relevância.

____

____

____

____

____

____

Conte uma história

Como disse anteriormente, para gerar relevância, é preciso contar uma ou várias histórias, pois elas vão conectá-lo à sua audiência.

Você sabe qual é o segredo das boas histórias? É a verdade! Contudo, lembre-se que ela precisa ser provocada, intencional. Construa a sua biografia, conte sua história, fale sobre você.

Claro que existem coisas que você não precisa contar. Conte aquilo que faz sentido, fale sobre os seus números, sobre os tombos que levou e como se levantou e chegou onde está.

Tenha em mente que você precisa provocar histórias para poder contá-las. Quando você une os três fatores "lugares", "pessoas" e "situações", há boas histórias.

Existem três pilares que o ajudarão a definir uma história: uma identidade clara, um propósito claro e suas conexões. Simples assim!

Se você viu uma oportunidade de contar uma história, conte, senão alguém vai contar por você. E aí, qual história você está contando neste momento?

Sobre a sua vida

Conte aqui uma história sua que seja atrativa.

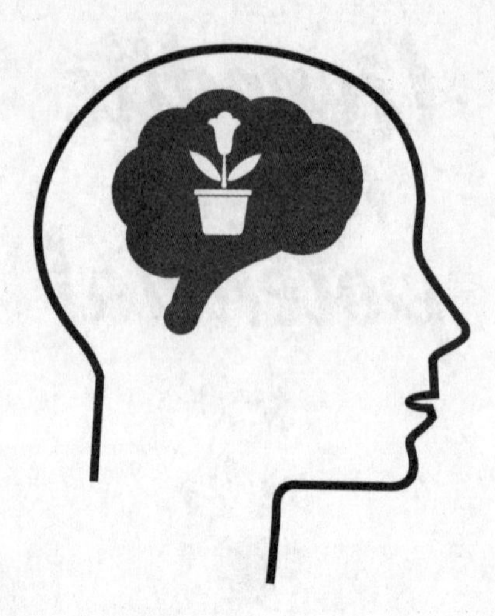

Plante sementes

Quando falo em geração de valor, significa plantar sementes. Por exemplo, quando você gera valor, um benefício para outra pessoa, planta uma semente. Nunca peça algo para uma pessoa, plante sementes primeiramente.

Ao pedir algo, você está querendo o fruto e, quando você planta sementes, aquilo volta para você em fruto. Quando você não gera nada e pede algo, você está subtraindo alguma coisa de outra pessoa. E quando você planta, está pegando parte daquilo que você plantou. E é assim que funciona na geração de valor, a pessoa devolve o que você plantou nela.

Só existe um problema no plantio: tudo o que você planta não vai colher do mesmo jeito. Você vai colher sempre menos ou mais, mas vai colher.

E tome muito cuidado! Se você não planta e vive pegando da colheita dos outros, você fica com as migalhas!

Se você quer algo, plante! Se quer pessoas de alto nível ouvindo você, gere valor. Hoje é o dia de plantar! Dê ideias, ofereça tempo de qualidade, ajude as pessoas com soluções... Essas são maneiras de plantar para colher aquilo o que plantou.

Responda às perguntas abaixo

Quais sementes você tem plantado?

____

____

____

____

____

____

Você tem gerado valor ou subtraído?

____

____

____

____

____

____

Quais são os seus valores?

É normal que as pessoas falem sobre você, critiquem que saiu do lugar, começou a caminhar rumo aos seus sonhos, mas não dá para perder tempo ouvindo isso. Como já disse em um capítulo anterior, até a energia ruim pode ser convertida em mais combustível! A geração de valor não é para ficar paparicando pessoas, nem fazer seus amigos ficarem bem com você. O importante é descobrir quem você é e ser descoberto por quem precisa descobri-lo.

A pessoa que chega perto de você sai melhor ou pior? Por exemplo, uma pessoa milionária inicia um diálogo e você fica com raiva, porque ela vai dizer que é a melhor em tudo. Essa pessoa vai fazer você se sentir pior do que quando chegou, porque ela é boa demais em tudo. Isso acontece, porque essa pessoa está em franco crescimento, só fala dela. Agora um bilionário, não. Como ele já destravou os códigos e não precisa mais falar sobre ele, quer que você saia melhor do que entrou na conversa. Então, ao invés de falar dele, ele fala para ajudá-lo.

Quando você destrava isso antes de se tornar bilionário, começa a descobrir valores. E, acredite, seu valor é altíssimo, tanto que você está aqui na Terra. Você é um vencedor! Por que você não enxerga esse valor? Se você não enxergar, não conseguirá mostrá-lo para o mundo.

Qual o benefício que você gera para esse tempo? Lembre-se que seu valor é inegociável, aquilo que você não abre mão. Pense nisso!

Agora é a sua vez

Qual valor você tem gerado para essa geração?

____

____

____

____

____

____

CAPÍTULO 11

O CONTEÚDO É INFINITO

A importância do conteúdo

Quem não tem conteúdo e não compartilha não consegue sobreviver na Internet. Essa frase pode soar dura, mas é a mais pura verdade. É por isso que criamos um capítulo 100% dedicado à importância do conteúdo.

Não adianta ter ideias brilhantes, anotar em um caderninho e não compartilhar com ninguém. A mágica do conteúdo está em colocar para fora e nós vamos ensinar isso passo a passo aqui.

Nas páginas seguintes, você vai aprender a como criar e compartilhar conteúdo de valor com as pessoas. Ainda abordo sobre como acessar à fonte de conteúdo, como este pode ser infinito e conseguir captar a atenção dos seus seguidores.

Se você quer conquistar a sua audiência com conteúdos de valor, siga em frente!

Fonte de conteúdo

Aqui você vai aprender a como criar um bom conteúdo, porque não adianta ter uma ideia brilhante, pegar caneta e papel e sair escrevendo. É preciso seguir alguns passos para validar a sua ideia.

O primeiro passo é estudar. Ninguém consegue criar nada bom sem estudo. Contudo, lembre-se que estudar é diferente de escolarizar-se. Estudar é definir um tema, desenvolver energia nele e se aprofundar naquilo. Depois que você estuda e entende algo profundamente, você começa a respeitar a complexidade daquilo a ponto de contemplar.

E o segundo passo é esse, a contemplação, que é a forma como você vê as coisas. É quando você olha para algo gigante e o torna simples diante dos seus olhos.

Já o terceiro passo é o teste. Toda ideia precisa ser testada. Se uma ideia não é digna de ser testada, ela não vale a pena. E depois que você testa, sabe que funciona, aí vai para o passo quatro, que é repetir. Fazer a repetição de formas diferentes faz com que você experimente novas maneiras de fazer a mesma coisa.

E a última fase é uma das coisas mais poderosas na criação de conteúdo que é adaptar aquele conteúdo à sua realidade, porque aquilo tem de ser o seu jeito e estilo, precisa ter a sua essência.

Coloque em prática!

Transforme seu conteúdo em algo simples:

- Simplifique seu conteúdo levando o espectador do ponto A ao ponto B.
- Crie um passo a passo.
- Estabeleça um ponto em comum com o ouvinte.

Hora de colocar para fora

Tudo o que você faz pode ser transformado em conteúdo. Pare de pensar que o que você precisa fazer tem de ser aprovado por outras pessoas. Não faça conteúdo para agradar ninguém, e sim para tirar o que está dentro de você. Se não tem nada para tirar de você, coloque para dentro o que quer. Comece a ouvir pessoas que falem coisas que façam sentido na sua vida. E ao criar o seu conteúdo coloque um nome, quando você dá nome a algo, torna-se o dono. Jamais esqueça disso!

Hora do treino

Escolha um nome (sem se preocupar com perfeccionismo) para:

Um livro:

____

____

____

Um e-book:

____

____

____

Uma mentoria:

____

____

____

Conecte-se com a fonte

Depois dos cinco passos que você aprendeu para criar conteúdo, chegou a hora de aprender a se conectar na fonte. Existem dois tipos de fontes: a humana e a divina.

A fonte humana é a pessoa que falou aquilo pela primeira vez e que virou a sua referência, já a divina é mais complexa e explico a seguir.

Você acha que conteúdo é apenas o que é escrito ou falado, certo? Mas uma roupa, uma máquina, tudo o que é criado é um tipo de conteúdo, ou seja, é materializar alguma coisa que está na sua mente. E nós não vendemos roupa, nem nada material, nós vendemos o conteúdo. Por exemplo, o que faz uma pessoa comprar um *iPhone*? É o conteúdo que ele gera, e o conteúdo é o contexto, é quando você se conecta à fonte de algo.

Pratique o que aprendeu

Escolha três tipos de conteúdo que mais chamam a sua atenção para focar os seus esforços.

____

____

____

____

____

____

Nos três assuntos escolhidos, defina três aspectos para se aprofundar.

____

____

____

____

____

____

Escreva quatro ideias de conteúdo para colocar em prática.

____

____

____

____

____

____

Por exemplo, o Steve Jobs tinha um alvo, fazer o contrário do que todas as empresas faziam, que era se livrar do teclado do celular e fazer tudo em uma tela *multitouch* de vidro. E, hoje, todas as empresas se baseiam no *iPhone*. Então, eles criaram um conteúdo diferente, mas focado no conteúdo de Steve Jobs.

Agora, que você já entendeu a fonte humana, vamos falar sobre a divina. Para acessar essa fonte, você precisa estar com o seu espírito alinhado à sua alma e ao seu corpo.

Antes de mais nada, é preciso entender que o conteúdo é infinito! Se você olhar para a água e para os animais, por exemplo, há muito conteúdo e você pode passar anos dissertando sobre aquilo.

Para acessar à fonte infinita de conteúdo, você precisa consumir conteúdo, aumentar o seu conhecimento, mas também é importante compartilhar tudo aquilo que aprendeu. Se não servir os outros, compartilhando esse conteúdo, será muito difícil ter inspiração para criar coisas novas.

Portanto, transborde! Se você estiver cheio e acumular conteúdo só para você, não conseguirá acessar coisas novas, pois não terá espaço para elas. O conhecimento precisa ser compartilhado.

Seja simples!

Minha orientação como mentor é ter clareza. Se você tentar criar algo sem luz, terá um problema. Na geração de conteúdo, mais do que em qualquer outra, você precisa de clareza.

A primeira coisa que a pessoa quer saber em conteúdo é se ela dá conta de fazê-lo ou não. Se ela consegue fazer isso, irá ouvir, se perceber uma barreira, ela vai desistir, simples assim.

Para trazer clareza traga pontos em comuns: onde você está, onde a pessoa quer chegar e onde ela está hoje. Você está em um nível, a pessoa está em outro e os dois querem ir para algum lugar. Mostre para a pessoa os caminhos A, B, C, e isso vai deixar o discurso mais claro. O cérebro aprende mais rápido quando percebe que algo é simples. Depois de trazer um ponto em comum, divida em passos, principalmente, três para assuntos simples, cinco para medianos e sete para complexos.

No início, você precisa mostrar o que você faz, sua história e prove seus resultados. Depois que as pessoas conhecem e te olham como autoridade, então elas vêm até você.

Coloque em prática!

- Comece a esvaziar e ensinar tudo o que você tem, sem se segurar. Inicie pelos *Stories*.
- Escolha duas pessoas para serem suas fontes de conteúdo.
- Escolha um livro para usar como referencial de conteúdo.

Distribua conteúdo

Quando você distribui seu conteúdo de valor, aumenta a capilarização. Ou seja, você faz com que chegue nos lugares mais distantes que, às vezes, não chegaria sozinho, principalmente quando investe em tráfego (conteúdo pago na Internet para ter mais alcance).

Não adianta criar conteúdo e não avisar ninguém, apenas deixar lá. É como abrir um negócio físico e ninguém ficar sabendo. Você precisa distribuir para que as pessoas cheguem até você.

Você pode distribuir o seu conteúdo por:

Escrita: em um blog, onde você pode ficar melhor rankeado no Google.
Áudio: podcast, audiobook, áudio em Telegram entre outros.
Vídeos: eles apresentam muito e podem estar no YouTube, em anúncios bem-elaborados etc.

Formas de capilarizar seu conteúdo existem inúmeras, mas você precisa começar a gerar conteúdo para chegar até as pessoas. Não pense muito, apenas comece!

Comece agora

- Poste um vídeo no seu IGTV de, pelo menos, 1:10 minutos.
- Faça uma arte para compartilhar seu conteúdo de forma visual.
- Crie um grupo no Telegram para compartilhar seu conteúdo com a audiência.

CAPÍTULO 12

NETWORKING

Rede de trabalho

Você, com certeza, já deve ter ouvido falar em networking, uma palavra complicada, mas tão importante em qualquer área de atuação, e que, mesmo intuitivamente, as pessoas acabam fazendo. *Networking* quer dizer rede de trabalho, ou seja, uma rede que trabalha para você e que você trabalha para ela.

São as pessoas para as quais você gera valor para que, no futuro, elas possam gerar valor para você também, o ajudando a conquistar os seus objetivos. Seja uma indicação para um curso, uma parceria para um negócio, um contato importante que você precise, entre outros.

O *networking* é uma semente que você planta e vai colher ao longo do tempo, portanto, não deixe de gerar valor para o outro achando que neste momento não terá retorno.

Nas páginas seguintes, explico sobre os tipos de *networking* e dou dicas para que você consiga criar uma rede sólida e útil de contatos.

Geração *link*

A geração *link* é a geração das conexões. Antigamente, eram gerações de doutrinas, sempre havia um chefe de sistema e você tinha que pedir autorização do chefe de sistema para se conectar. Da doutrina, passamos para a geração visionária, que observava coisas além do que os olhos poderiam enxergar. E aí entramos na geração do networking, do relacionamento, onde qualquer pessoa de qualquer nível consegue se conectar. Antes, as pessoas não tinham vozes, mas, atualmente, com a Internet, todo mundo consegue ter essa voz.

No passado, para se conectar com qualquer pessoa, tínhamos que acessar sete ciclos de amizade e, com o advento das redes sociais, esse ciclo caiu para quatro. Essa é a geração da conexão, do link: nós somos os *links* humanos para conectar qualquer pessoa a quem ela quiser. Se você sabe comunicar, consegue criar um tipo de conteúdo e aí fica muito mais fácil de acessar as pessoas que deseja.

Treine seus conhecimentos

Comece a filtrar e liste os seus links de conexões.

____
____
____
____
____
____

Liste as conexões que não estão te trazendo algum retorno ou ensinamento. Estas você deverá excluir.

____
____
____
____
____
____

Entenda que essa geração não é a geração do como fazer. Nessa geração, o que mais importa é 80% "quem" e 20% "como". Se não sei o como fazer algo, preciso me conectar com o quem, que é quem faz a diferença. Se você não tem essa ligação, precisa se conectar com alguém que tem conexão com esse quem.

Ou seja, se você não sabe como fazer, precisa achar links para chegar nas pessoas que saibam fazer o que você quer. Ache seus links e seja o link de outras pessoas!

Gerar valor

Você escuta as pessoas falarem sobre isso o tempo todo e não sabe o que é? *Networking* refere-se às redes de trabalho. São duas engrenagens, uma rede que trabalha para você e você que trabalha para essa rede. Por exemplo, não adianta chamar alguém para ser seu sócio do nada, você precisa gerar conexão e valor para essa pessoa querer ser seu sócio.

Esse valor que você gera é essencial para instalar a reciprocidade no outro. Lembre-se que quem faz primeiro gera reciprocidade. Na geração de valor, se você tem uma boa comunicação, tem conteúdo, mostra que tem acesso às outras pessoas, você automaticamente gera valor.

Você gera valor dando ideias, com a sua história, apoiando a outra pessoa... Enfim, conecte-se com pessoas interessantes e demonstre para elas que quer ajudá-las. Quando você gera valor, está plantando e, quando você planta, não colhe imediatamente. Apenas após algum tempo que você terá retorno daquilo. A geração de valor precisa ser antecipada, pois é assim que a pessoa irá prestar atenção em você.

Comece a praticar

- Escolha e liste cinco pessoas que você não conheça para gerar valor na vida delas.
- Comece a gerar valor na vida das pessoas as quais você deseja se conectar.

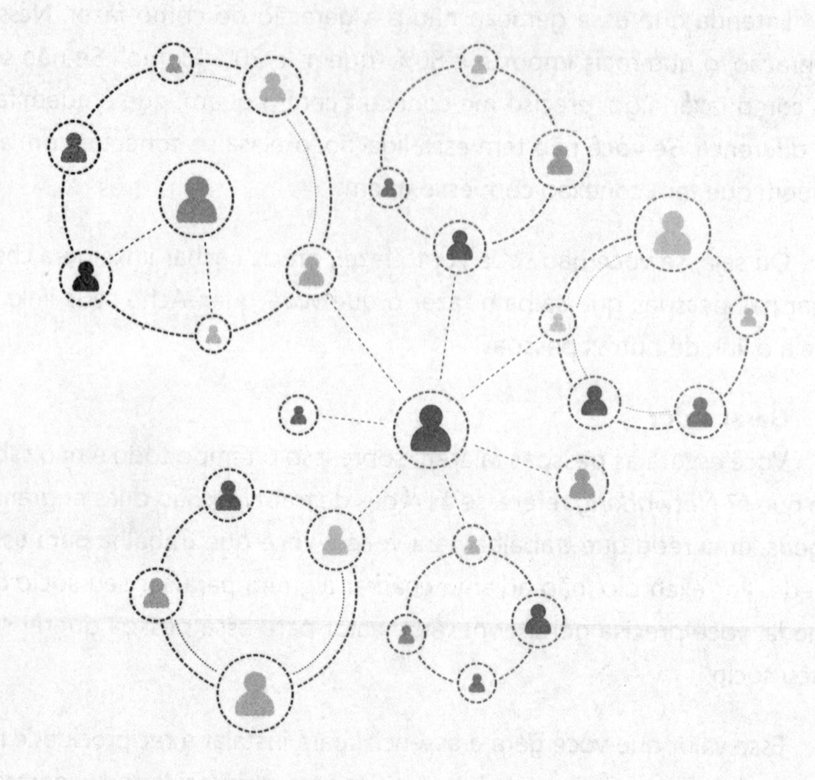

Formas de fazer networking

Há cinco maneiras de fazer networking. A seguir, revelo cada uma delas:

Conhecidos

Quando você conhece muita gente é bom, mas melhor ainda é quando as pessoas o conhecem e o indicam. O segredo do *networking* não é conhecer muita gente, mas, sim, ter atos interessantes para que as pessoas conheçam você. Faça o máximo possível para que a cada pessoa que você conhece pessoalmente, mil desconhecidos saibam quem é você.

Amigos

Nós não conseguimos ter mais de cinco amigos na vida, temos colegas, conhecidos, mas pessoas que sorriem com você, que, quando você não está bem, estão ao seu lado, é comum ter apenas cinco. E cuidado com os amigos que você tem andado, porque você é a média das cinco pessoas que convive! Como está a sua média?

Pontes

São as pessoas que trafegam, transmitem você para outros mundos e mercados. Essa ponte é quem vai te levar para as pessoas que você deseja. É importante ter pontes na vida. As pontes também são pessoas que fazem *networking* profissional para levar você a lugares que ainda não acessou.

Rampas

As rampas geralmente são profissionais que você precisa pagar. São aquelas pessoas que o jogam no lugar que você deseja e todo mundo o vê.

Ecossistema

São os donos de ecossistemas e plataformas. A sugestão é que você tenha um ecossistema para ter uma plataforma que conecte pessoas.

Agora é com você!

Liste as cinco pessoas com quem você mais convive e dê notas de 0 a 10 para cada uma delas.

____

____

____

____

____

Some as notas das pessoas que convive e divida por cinco (o resultado será a sua nota).

____

____

____

____

____

Chave mestra do universo

Você sabe qual é a chave mestra do universo? É o relacionamento! O fato é que você não acessa ninguém se não acessar a si mesmo.

Tudo começa pelo amor, ame a si mesmo! Se uma pessoa não gosta de pessoas, ela não tolera a si mesma. Quem não se ama odeia as pessoas!

A chave mestra abre qualquer porta, mas o relacionamento é uma porta que tem maçaneta só pelo lado de dentro e fechadura pelo lado de fora. Você coloca a chave, gira, mas, se a pessoa que está lá dentro não quiser abrir, você não tem um relacionamento. O que é essa chave? É a confiança. As pessoas só irão girar a maçaneta se elas confiarem em você. Destrancar a fechadura é o quanto você confia na pessoa.

Não foque em não gostar de alguém e não guarde mágoas, porque alguém quebrou a sua confiança. Aprenda que de todo peixe você precisa tirar a carne para chegar na espinha. Pense nas pessoas assim: se você não gosta da espinha, fique com a carne.

Só há dois caminhos: ou você restaura a confiança que quebrou ou volta atrás e perdoa as pessoas que quebraram a sua confiança.

Sorriso, olhar voluntário, imagem positiva e ação faz todo o sentido na hora de se conectar a uma pessoa nova.

Reflita!

- Comece a se amar e transbordar isso na vida das pessoas.
- Pare para refletir e revisar quais portas você tem mantido fechada por não gostar das pessoas.

Desafio *Off/On*

Nesta etapa, a ideia é que você se conecte com uma pessoa relevante no mundo *online* e outra no mundo *off-line*. Uma pessoa relevante fora da Internet, no *off-line*, pode ser um empresário. Você pode entrar em contato, se conectar, levar um presente, uma ideia... Faça alguma coisa! Busque uma pessoa relevante na sua cidade, por exemplo. Troque uma ideia, produza algo com essa pessoa. Já no *online*, pode ser alguém com mais seguidores, que seja relevante no seu mercado de atuação.

Uma dica: não vá atrás da pessoa e comporte-se com um "fã", pedindo para tirar foto. Isso vai fazer com que a pessoa crie uma imagem de fã em relação a você, não de parceiro de negócios. No final, você conversa e fala sobre a foto, mas deixe o celular preparado, para não chegar com a lente suja, aparelho travado etc.

O desafio do acesso é para você ficar valente, para que perca o medo de acessar às pessoas. Pare de ter medo de agir!

Desafio lançado

Liste pessoas relevantes no mundo *online* e *off-line* para se conectar e produzir algo.

____

____

____

____

____

____

Entre em contato com pessoas relevantes tanto no *on*, como também no *off*. Liste abaixo quem são essas pessoas.

____

____

____

____

____

____

CAPÍTULO 13

ESTIMULE SUA CRIATIVIDADE

S

Seja criativo!

É comum muitas pessoas dizerem que não são criativas, mas a criatividade é uma habilidade que todos temos e que precisa ser desenvolvida. Segundo o dicionário, a criatividade é "inventividade, inteligência e talento, natos ou adquiridos, para criar, inventar, inovar, quer no campo artístico, quer no científico, esportivo etc.".

A criatividade precisa de liberdade e de consumo de conteúdo para existir. Cada ser humano tem a sua capacidade de ser criativo e ela é desenvolvida de acordo com o que a pessoa assiste, lê, consome na Internet, além de suas experiências, vivências etc.

Para conseguir desenvolver a sua criatividade, livre-se de amarras e quebre velhos padrões. E é isso o que você vai aprender neste capítulo!

Nas páginas seguintes, entenda como a liberdade é importante para estimular a criatividade, o que é o índice de viração própria, quais são os filtros cerebrais, sem contar a importância de se fazer *brainstorm*.

Tenha liberdade!

Se você está se perguntando o que a liberdade tem a ver com a criatividade, acredite, tem tudo! É porque ninguém é criativo se não for livre. Se uma pessoa estiver em qualquer situação que estimule o julgamento, ela inativa o poder de ser livre.

E esqueça aquele papo de que você não é criativo, todos somos. A criatividade não é um estado, ela é a nossa essência. E a primeira coisa que você precisa ser para conseguir estimular a sua criatividade é ser livre.

Contudo, lembre-se: liberdade não é poder fazer tudo, é não ter que fazer nada. Quando sou preso a algo, não sou livre, mas, quando sou livre, não quer dizer que posso fazer qualquer coisa, mas posso imaginar. E quando falo em imaginar, significa ter criatividade!

Para refletir

Você já entendeu que não consegue ser criativo sem ser livre. O que o impede de ser livre? Liste ações que você vai tomar para ativar a sua criatividade.

____

____

____

____

____

____

Em qual bolha você está vivendo? Quebre os padrões, erre muito, mas nunca nas mesmas coisas. Faça testes e seja uma pessoa criativa.

____

____

____

____

____

Um fato que você precisa entender para se libertar é que o cérebro opera em bolhas. Podem ser bolhas religiosas, políticas, familiares etc. Quando você entra em uma bolha, você não é livre. E, para ser criativo, você precisa furar essas bolhas para conseguir sair delas e se tornar mais forte.

Repita: **eu sou criativo e preciso da liberdade para prosperar!** No entanto, tenha em mente que só imaginar e não agir não adianta.

O termo **cria + atividade significa eu vejo e faço**. Já o termo **cria + inatividade quer dizer que vejo, não acredito e não faço.**

Agora, reflita: o que você vê e faz? O que você tem vontade de fazer e não tem feito? É melhor ser criticado por coisas que está fazendo, do que ficar esperando aprovação dos outros.

Índice de viração própria

IVP é uma linguagem que vem direto do mundo corporativo e significa índice de viração própria. Ter IVP alto é quando a pessoa tem grande capacidade de realização.

Esse tema está neste capítulo, porque a criatividade tem a ver com o seu jeito de encontrar soluções para resolver as coisas.

Para você ter IVP, é preciso ter simplicidade. Coloque na cabeça "se alguém fez isso, eu dou conta de resolver", "se alguém conseguiu entrar, tem como sair", etc.

Além disso, pare de gastar dinheiro à toa. Antes de tomar qualquer decisão que envolva dinheiro, faça de forma gratuita. Exercite no seu dia a dia a arte de resolver problemas com simplicidade.

Tenha em mente que é muito importante saber um pouquinho de cada coisa, para conseguir aumentar o seu IVP.

Responda com sinceridade

Qual é o seu Índice de Viração Própria? Quais soluções você cria para os problemas?

____

____

____

____

____

____

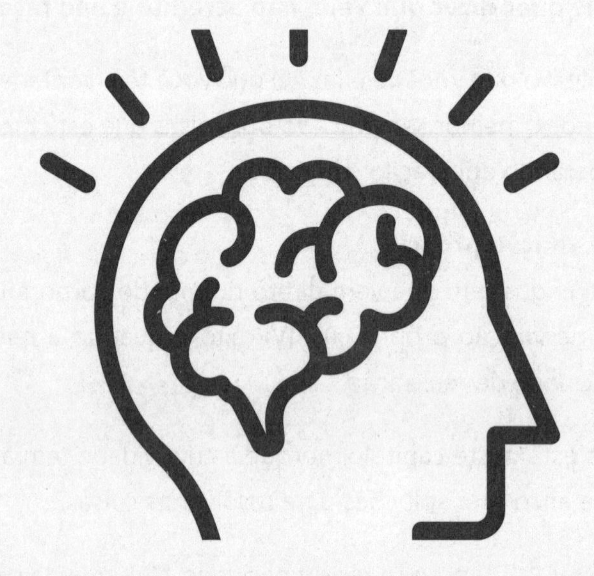

Filtros cerebrais

A sua criatividade depende de três coisas: do ambiente onde está, da situação em que você se encontra e das pessoas que estão à sua volta.

Ambientes criativos geralmente estão em desordem, porque ambientes organizados demais não remetem à criatividade, bem como estresse em excesso e a preguiça também atrapalham a criatividade. Por isso, avalie muito bem quais são os seus principais ambientes hoje.

Seja infantil, ridículo e divertido

Quando seu cérebro roda essas três chaves, você começa a ver as coisas de forma sobrenatural. Seja um adulto que sabe acessar à infantilidade na geração de boas ideias.

Toda vez que for desenvolver algo, coloque uma música chamada Mario Bros. *Remix*, por exemplo. Ela ajuda a estimular a criatividade. Essa música estimula o cérebro, porque desbloqueia várias chaves que você conquistou na infância, além do ridículo e divertido.

Se seus filtros não estiverem abertos, você sempre vai passar por julgamentos. Quem não é ridículo não experimenta o extraordinário. Se você quer inovar, precisa pensar da maneira que as pessoas não estão fazendo. Todo mundo que tem um grande resultado foi ridículo lá atrás e, se você não for rídiculo, está na média, não se destaca.

Olhe a sua volta e responda!

- Liste o ambiente, as pessoas e o lugar onde você se encontra. Em que eles contribuem ou atrapalham a sua criatividade?
- Experimente ser rídiculo, infantil e engraçado. Estimule o seu cérebro com músicas fora do padrão. Ex.: *Mario Bros Remix.*
- Faça o exercício de ter ideias fora do padrão, ridículas e engraçadas, sem filtro. São das ideias ridículas que nascem as boas.

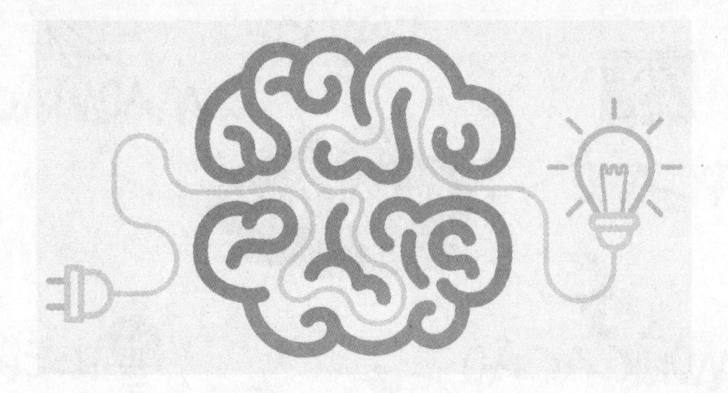

Lembre-se que as pessoas precisam ser ridículas para chocarem as outras e inovarem. A inovação é questionar o que já existe e partir para o ridículo.

Faça *brainstorm*

Brainstorm, em tradução livre, significa tempestade cerebral. É uma reunião com uma tempestade de ideias. Mas é muito importante ter em mente que nessa etapa não pode acontecer competição, censura e nem rebaixamentos. As pessoas precisam ser livres para darem ideias, serem infantis, ridículas e divertidas!

As ideias são frequências e, quando elas se cruzam, acontece algo brilhante. Para fazer um *brainstorm*, reúna uma equipe, pegue um cavalete com papel e vá anotando todas as ideias que as pessoas derem. Um *brainstorm* é isso, uma reunião de pessoas de, no máximo, 30 minutos, na qual todas dão ideias para a criação de algo. Ele é importante, porque ninguém cria nada sozinho, é impossível ter boas ideias sozinho. Por isso, muitas empresas adotam essa prática em sua rotina.

Coloque em prática

- Faça um *brainstorm* sem censura e sem competição, apenas para ter ideias infantis, ridículas e engraçadas.
- Crie o hábito de fazer *brainstorm* com o seu network ou com pessoas ao seu redor.

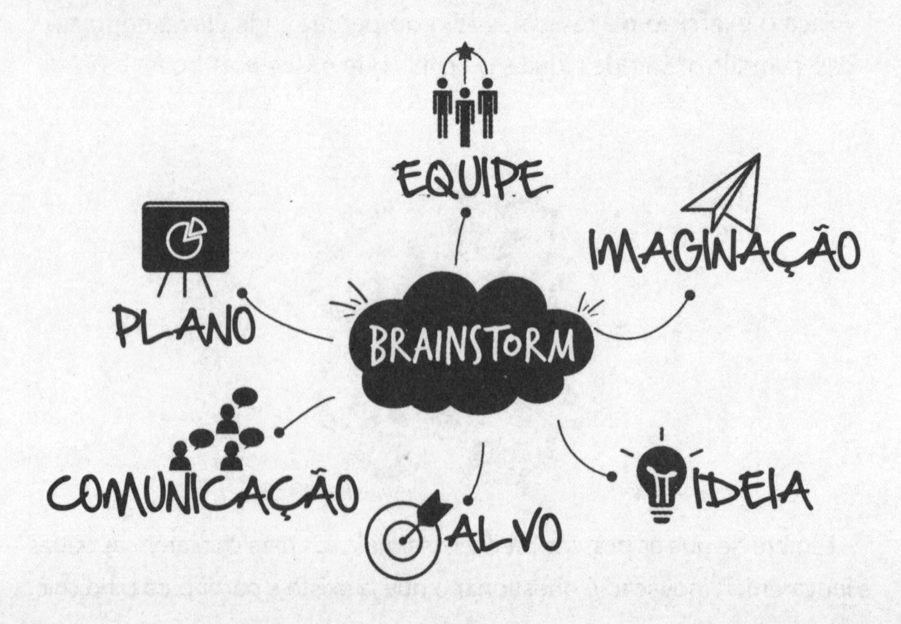

E não adianta dizer que você não tem essa capacidade de criar, ela está aí dentro de você, apenas não foi desenvolvida.

Faça um *download* por vez

Quando falamos em download, é para usar um exemplo. Você só consegue baixar algo, quando o seu celular está desbloqueado e funcionando, certo? Na vida é a mesma coisa. Se estiver preocupado, não há *download*. O estresse e a preocupação atrapalham na hora de prosperar.

Você já ouviu que, quando uma pessoa dá resultados, ela está inspirada, certo? Mas quando ela está mal, é difícil funcionar! O segredo é fazer o *download* da vida que você quer viver. Tenha pequenos resultados e afaste-se de pessoas que te atrapalham. Se você não fizer download da fase um, jamais irá para a dois. A vida é processual, igual a um *videogame*. Você só vai bater um milhão, quando entender que a semente dele é o mil. Respeite às ordem das coisas, seja leve. Por mais que as fases estiverem bloqueadas, vá desbloqueando passo a passo. Se você não fizer isso, vai ficar sempre travado no *download*. Reflita!

Agora é com você!

Liste preocupações, estresse e ansiedade que estão o impedindo de fazer o *download* da vida que você quer e as ações que vai tomar para resolvê-las.

____

____

____

____

Faça o seu plano de ação. Quais fases você vai avançar para fazer o *download*?

____

____

____

____

CAPÍTULO 14

DRIVE DA PROSPERIDADE

Turbine seus negócios

Sabe quando você vai ativar o seu *drive* da prosperidade? Quando acreditar em você! Minha orientação como mentor é para ter a certeza que você é o sim para a solução de muitas pessoas. Neste capítulo, entenda a diferença entre os tipos de produtos a serem vendidos na Internet e qual é aquele que pode lhe trazer um maior retorno.

Explico de uma vez por todas que o lucro não está na venda, mas, sim, no momento da compra/investimento. Por que tem tantas pessoas que ainda preferem achar o contrário?

E para completar, falamos de renúncia e ego. Os melhores negócios são feitos quando ambos os lados (comprador e vendedor) renunciam os seus egos e chegam a um equilíbrio.

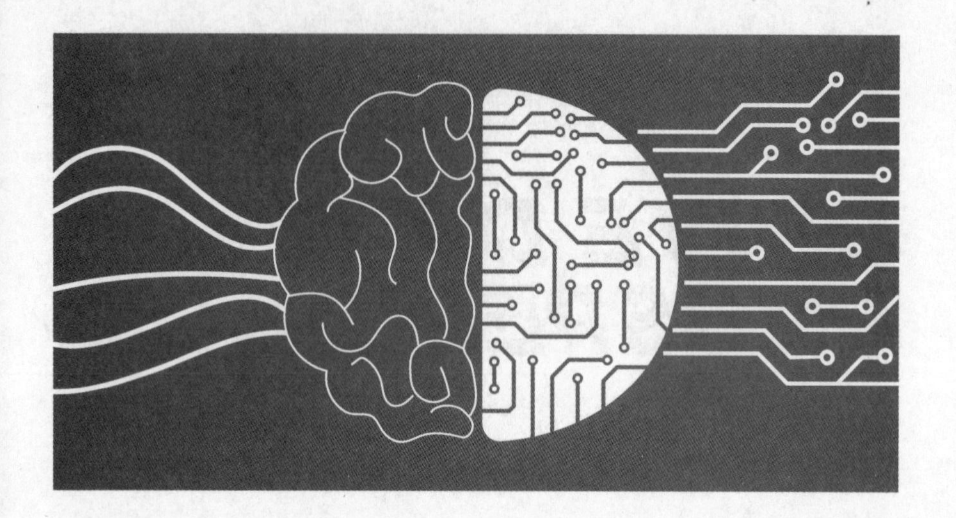

Solução X Transformação

O primeiro passo é identificar o que você quer oferecer na Internet: solução ou transformação? A solução é para resolver alguma situação ou coisa; ela resolve e corta. Já a transformação é para modificar a mentalidade da pessoa. Tirar a pessoa do ponto A e levá-la até o ponto B. Na transformação, é importante saber que existe a melhora, a mudança e a real transformação.

Vou te dar um exemplo bem chulo, porém claro. A melhora é como espirrar perfume em cocô! Pode ser o perfume mais caro da Terra, mas, quando bater um vento, o odor do cocô vai voltar! Já no processo de mudança, você pode até mudar o cocô de lugar e dizer que ele venceu na vida. Mas, acredite, ele continua sendo um cocô, pois a essência é a mesma. A mudança só foi geográfica.

Agora, se eu colocar esse mesmo cocô em uma plantação, que é o esterco, ele não será mais inútil, e sim será essencial para adubar a terra. Ou seja, nesse caso, foi realizada a verdadeira transformação. Então, o segredo é sair do ponto de melhora, passar pelo processo de mudança e fazer realmente a transformação.

Com esse conceito, é preciso definir se o seu produto busca a solução ou a verdadeira transformação, pois são abordagens diferentes que você deverá fazer.

Há também os produtos mistos, ou seja, aqueles que são solucionadores ou transformadores. Mas lembre-se disso: a transformação sempre vai lhe trazer um retorno maior! Isso porque a pessoa não vai ter somente a sensação do resultado do seu produto, mas, sim, que ela conseguiu chegar em um novo lugar. Além disso, a solução é pontual. Se você cria um produto apenas para resolver um problema, esse produto tem que ter um valor mais em conta. Isso porque o produto soluciona, mas não muda a realidade da pessoa. Sendo assim, a solução é pontual. Já a transformação é contínua.

Contudo, independentemente do tipo do seu produto, você deve iniciar com conteúdo de graça – seja de solução ou transformação, a fim de comprovar que ele realmente funciona. Isso faz com que a pessoa junte pequenos resultados e, de fato, consiga destravar ela mesma. O que é um produto ideal? É aquele que contempla 20% de solução e 80% de transformação. Se você quiser vender apenas solução, não tem problema! Apenas lembre-se que o retorno financeiro será menor. Acredite, dá mais trabalho aprender a transformar, porém, depois que aprende, os resultados serão contínuos. Mas que tipo de ajuda você pode dar? A resposta está dentro de você!

Em vista disso, reflita: qual é o nível de solução e transformação que você está entregando?

Se quiser prosperar, não faça!

Posicione-se apresentando soluções e transformações nas suas redes sociais. Escreva abaixo tipos de conteúdo gratuito que poderá fazer para conseguir validar a essência do seu produto.

____

____

____

____

____

Mostre para sua audiência como é possível ter microrresultados!
Faça suas pontuações aqui:

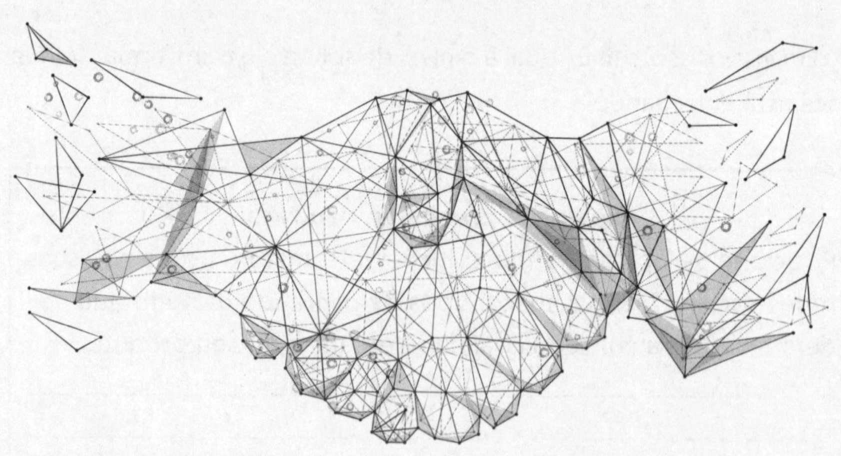

Compra X Venda

O empresário que acha que a venda que muda a vida dele é muito nenê! Isso porque a venda não é quando ganha o dinheiro. As pessoas amam vender, porque acham que é na venda que se ganha o dinheiro, e não é isso! A venda é a devolução do dinheiro do caixa. Mas e se alguém falar: "O lucro está embutido na venda"! Não está. O lucro está na compra! O lucro está em quanto você paga para comprar, está no investimento.

Por exemplo, em um dos imóveis mais caros que já comprei até hoje, fechei um valor. E, nesse momento, o vendedor me pediu 2 milhões a mais. Eu pensei: "2 milhões neste tanto de dinheiro não vai mudar muita coisa". Do lado de lá, um vendedor bilionário; do lado de cá (eu), um aspirante a ser bilionário. Sendo assim, coloquei em percentual para mostrar para ele que era de fato muito pouco perante ao montante já investido. Mas era pouco para ele, não para mim. Nesse instante, disse que iria desistir do negócio. E, claro, o vendedor voltou atrás e não contabilizou os 2 milhões a mais. Mas por que eu fiz essa estratégia? Porque são os 2 milhões que eu vou gastar na reforma desse local que estou comprando. Ou seja, eu ganhei na compra. Esse é o segredo. Quando eu ganho na compra, acontece um "milagre". Se eu for vender pelo preço normal, eu já ganhei o dinheiro.

Outro exemplo: comprei uma *Porsche* que adquiri bem abaixo do valor de mercado, fiz uma boa negociação. Quando fui vender o carro, vendi por R$ 40 mil acima do valor do mercado. E com um detalhe: ainda estava abaixo do valor. E como eu consegui isso? Porque eu ganhei o dinheiro na compra! Sendo assim, seja muito bom em vender, mas seja melhor ainda em comprar! O lucro não está em vender mais caro, o lucro está em comprar abaixo de todo mundo. Ou, então, no investimento inicial do seu negócio.

Então, tira isso da sua cabeça: no mundo dos negócios, você enriquece se faz boas vendas. Não! Você só consegue lucrar quando faz um baixo investimento para o lucro que poderá ter.

O que quebra uma empresa não é o prejuízo, e sim a falta de dinheiro no caixa. Não sei se você já passou por isso, imagino que já... Fica ruim quando acaba o dinheiro. Há mais de 15 anos, eu não sei o que é o dinheiro acabar. Você pode estar pensando: "Também você é rico demais!". Eu te respondo: "Não, no início, quando comecei, eu ganhava R$ 525 reais, e não acabava". Qual é a chave do sucesso? Não dependa apenas de uma única renda. Crie novas e, simplesmente, viva abaixo daquilo que você consegue sustentar.

Coloque sempre o dinheiro macho para cruzar com o dinheiro fêmea e viva dos filhotes! Na hora de fazer as tarefas, aprenda a ser um comprador! Um negociador frio – que não se emociona tão facilmente com coisas –, mas que saiba aproveitar as grandes oportunidades ou, indo mais além, que saiba criar as suas próprias oportunidades!

Organize os seus gastos

Faça uma lista de coisas que você precisa eliminar das despesas que seus gastos não ultrapassem a sua renda.

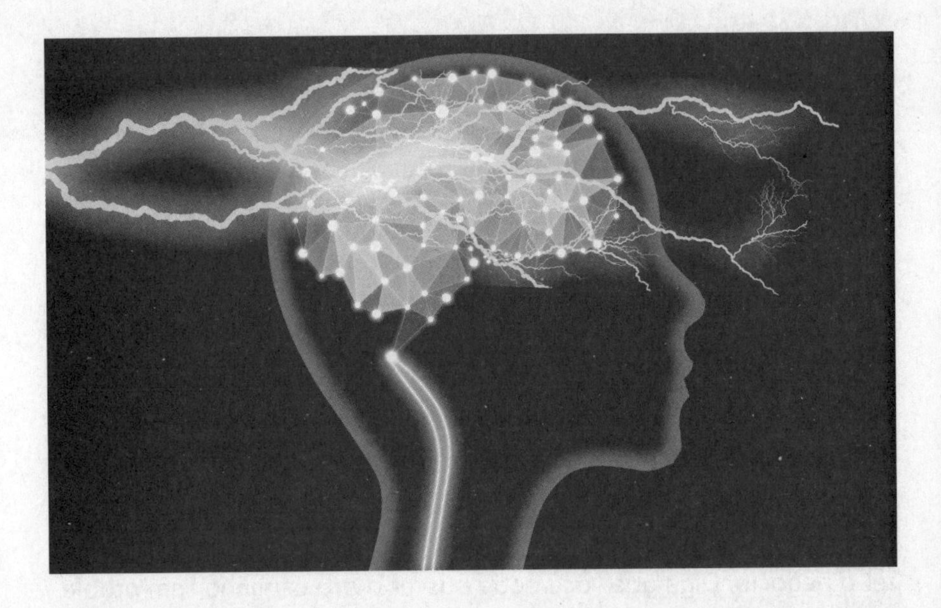

Renúncia X Ego

O que é negociar? É renunciar o seu ego! Trata-se de uma renúncia de ambas as partes, pois, caso apenas um dos lados renuncie, não há negócio. Então, se o negócio está bom apenas para um lado, é melhor que você não o faça. Se estiver bom para você, mas não para o outro lado, a pessoa com quem está negociando vai falar tão mal de você que o negócio não vai compensar.

Muitas vezes, quando você acha que está "apavorando" e ganhando, as pessoas estão somando coisas contra você que fará com que tenha prejuízo lá na frente. Então, qual é o segredo de um grande negócio? Abrir mão de alguma coisa e perceber que a outra pessoa também está abrindo. Particularmente, não gosto de negociar com pessoas que são inflexíveis. Quando percebo isso, já busco um outro caminho, pois tende a ser sempre assim.

Certa vez, fui negociar um aluguel que pagava; o valor era de R$ 6 mil mensais, mas o proprietário pediu R$ 8 mil. Apliquei o método da isonomia, ou seja, tratar os iguais de forma igual, e os desiguais de forma desigual. Sendo assim, "bati" na mesma proporção do susto, dizendo que eu apenas poderia pagar um valor ainda mais baixo do que estava pagando. Então, ele puxou para o extremo, e eu puxei para o absurdo do extremo, passando o valor para R$ 4 mil reais. Se não houver negociação, falei: "Então, fica em paz! Pode arrumar outra pessoa para negociar este imóvel". Sabe o que aconteceu? Ficou em R$ 5 mil reais! Do que era para ser um amento, ainda vi vantagem! Porque ninguém estava mexendo com um bobo na negociação. Meu dinheiro vale mais na minha mão do que na dos outros! Porque se o dinheiro sai da minha mão, consequentemente, perde o valor para mim.

O que você deve aprender com tudo isso? Quando a pessoa puxar muito para um lado e lhe pressionar, puxe radicalmente para o outro lado e, assim, vão encontrar um equilíbrio. Nunca baixe o preço, porque você acha que vale apenas aquilo; sempre pontue que é o que você pode e vai pagar. Nunca também se mostre desesperado por fazer o negócio. Diga que você pode buscar outro caminho sem problema nenhum. Isso até renunciar e fazer um bom negócio para ambos os lados. Pense nisso então: se a pessoa for para o extremo para um lado, arregaça para o outro! E não tenha medo de perder negócio!

Faça o que precisa ser feito

Agora que você já aprendeu a negociar, comece fazendo isso com as suas dívidas! Chega de ego, negocie e acerte todas as pendências! Escreve abaixo as negociações que precisa fazer em breve para conseguir dar passos adiante.

Consumo X Produção

Se você não souber que é um homem ou uma mulher de negócios, será complicado você prosperar. Se você não entender sobre o universo dos negócios, de nada adianta entender de marketing digital. Quando você vai fazer o contrato com uma pessoa, é preciso se valorizar! Então, onde está a chave do negócio? Entenda em qual parte você está da cadeia.

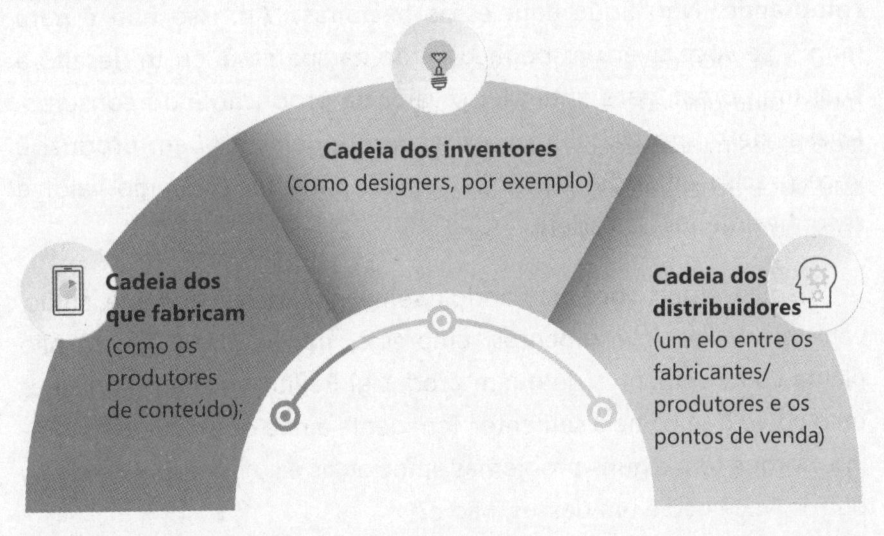

Lembrando que venda não é simplesmente tirar um pedido. O esforço da venda está no talento de convencer uma pessoa. Então, em vista disso, temos:

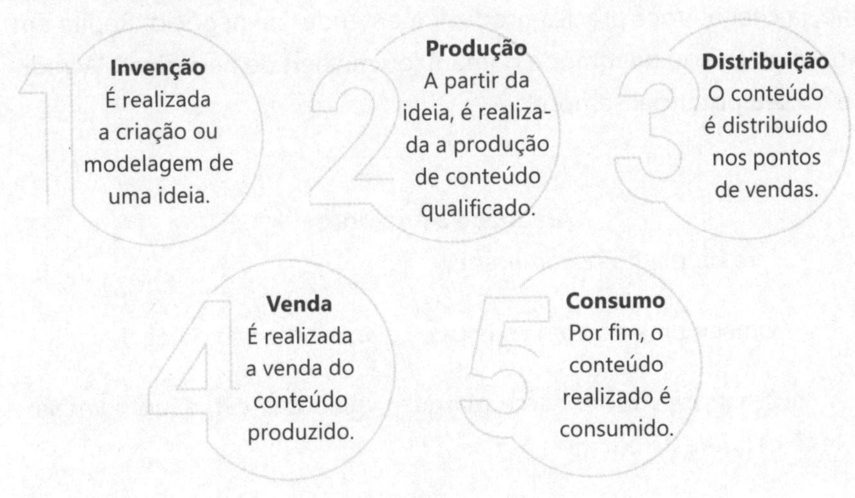

Onde você está? É importante ter essa dimensão para entender como se posicionar. Não insista em fazer as ações em várias frentes desta cadeia, pois nosso próprio corpo não aguenta. Acredite, o corpo não aguenta nem mesmo com o excesso de água!

Outro ponto importante em saber é: quem não está vendendo, está comprando. Enquanto você tiver vergonha de vender, vai ficar comprando. Não fique com essas besteiras: "Ah, isso não é para mim!". Se você tiver um pedaço verde na sua casa, eu te desafio a criar um pomar, para entender o valor da produção e do consumo. Apesar de muito trabalhoso, existe um poder em quem produz! E você precisa entender como se produz para dar o devido valor e reconhecimento na cadeia.

Imagina, então, você plantando e semeando ideias? Imagine, então, você plantando investimentos, empresas, *networking*...? Quem não planta come sementes de quem produziu! Reflita: você é o agricultor ou o corvo que come a semente? Tem gente ainda que é só o espantalho, porque tem alguns problemas emocionais e só fica espantando os outros (você não é um desses, não é?).

A grande verdade é: você precisa passar para a área da produção, porque só tem consumidor na Terra. Por isso, existem tantos grupos milionários, bilionários... porque as pessoas estão só consumindo! Então, já chega! Você precisa produzir e entender de negócio! Repita em voz alta: "Eu sou um grande homem (ou mulher) de negócios!". Acredite no seu potencial sempre!

Arregace as mangas!

- Hora de plantar a semente!

- Comece uma horta na sua casa, plante uma semente!

- Faça *stories* sobre isso e marque @plabomarcal1. Quero ver se você pegou este código!

Você é o sim!

Se você acha algo muito complicado no mundo dos negócios, saiba que é realmente difícil para quem opta por nem tentar, é fácil para quem fez uma vez e é simples para quem repete todos os dias. O resultado vai vir por qual via? Pela simplicidade! Você é o sim! Mas que sim você é? É o sim que as pessoas estão procurando. As pessoas estão achando você? Não! A culpa é delas? Não! É sua.

Você deve ter aprendido em alguma empresa com uma pessoa que não pensa muito (sem ofensa, mas é verdade): "O não eu já tenho. Eu vou correr atrás do sim". Nessa expressão, já tem um fardo: "Vou correr atrás de algo". E outro fardo: "Pode não funcionar". O novo *drive* que você precisa construir é: "Eu sou o sim que as pessoas procuram e precisam. O não é quando eu quiser".

Só existe uma possibilidade de eu não fechar um negócio: só se eu não quiser. Sim, se eu quiser, eu vou adaptar o que for necessário para eu fazer dar certo.

Atualmente, as pessoas estão perdidas, confusas, sem identidade... estão malucas nesta geração! E essas pessoas precisam do "sim". E você pode ser esta pessoa! Eu sou essa pessoa! Você não precisa correr atrás do sim, você é o sim!

Vai chegar uma época, como acontece comigo, que as pessoas imploram para fazer negócio, mas eu não quero. Estava indo tudo bem, parecia que ia dar negócio... Parecia, mas eu não quero. No mundo dos negócios, você vai ter que falar não muitas vezes. Isso é um sinônimo de visão e maturidade.

Por isso, respira bem fundo agora e diga: "Eu sou o sim que as pessoas estão procurando agora!". Acredite, o seu pior conteúdo pode salvar pessoas. O seu pior produto pode revolucionar o mercado como você nem imagina.

Pule esta página, caso queira prosperar

Faça até aqui um resumo de tudo que você já colocou em prática desde o início deste livro:

O quanto você já transbordou na vida de outras pessoas?

Em uma escala de 0 a 100, o quanto você tem transmitido sua mensagem de maneira simples? Faça suas considerações.

CAPÍTULO 15

DESTRAVE SUAS VENDAS

Segredos de uma boa venda

Você sabe vender ou tem medo e vergonha de fazer vendas? Segundo o dicionário, venda significa "transferência da posse ou do direito sobre alguma coisa mediante pagamento". E mesmo que você não se ache um bom vendedor ou tenha medo de vender, acredite, é natural do ser humano e nós vendemos o tempo todo. Seja para conquistar uma promoção no trabalho ou para atrair uma pessoa, estamos sempre nos vendendo de alguma forma. Essa é uma habilidade inerente ao ser humano.

Assim como todas as outras habilidades, a venda também pode ser desenvolvida passo a passo. Uma venda acontece sem que você diga para as pessoas que está vendendo. E você vai entender isso melhor nas páginas seguintes.

Neste capítulo, ensino como perder a vergonha de vender, como abordar a sua audiência sem parecer um vendedor e muito mais. Aqui você vai aprender o passo a passo para se desenvolver nas vendas e colher ótimos frutos.

Vergonha de vender

Você tem vergonha de vender? A maioria das pessoas dirá que sim, porque vender parece algo complicado, apenas para poucas pessoas. Mas, na verdade, todos nós somos vendedores e estamos vendendo algo. Vender é um posicionamento!

O que acontece é que, quando há vendedores muito bons, as pessoas acabam se desvalorizando, achando que não chegarão lá. Mas tudo é processual, você vai vender no seu nível e, na hora que quiser subir o nível, você vai conseguir. Você só vai ser bom nas vendas se der um passo de cada vez para evoluir.

A vergonha de vender é a mesma coisa que falar em público, ou seja, é o medo da exposição.

Se você não destravar na comunicação, o seu poder de venda também ficará comprometido. A venda envolve comunicação, geração de valor e conteúdo – tudo aquilo que você viu até aqui agora. Se você não destravar nessas coisas, não vai conseguir se posicionar para vender.

Entenda que ninguém tem vergonha de vender, porque vender é natural. As pessoas podem até ter raiva de você, porque não tem nada para vender para ela! Forte, mas essa frase é real.

O capitalismo é embasado no consumo, as pessoas são doutrinadas a consumirem o tempo todo. Ou você fica do lado dos que produzem ou dos que consomem. Se escolher ficar do lado dos que produzem, crie algo de valor.

Chegou a sua vez

Quebre agora o bloqueio da vergonha de vender. Se tiver dificuldade, volte até o primeiro capítulo novamente e revise todo o conteúdo!

Não precisa comprar para vender

Antes de mais nada, entenda: o que é vender? Vender é o ato de transmitir para outra pessoa algo que ela procura ou não, pode ser um produto, um serviço ou um acesso, que pode ser uma ideia, por exemplo.

Existem coisas que você vai vender que não precisa comprar, não precisa ser usuário. Apenas certifique-se que aquilo que você vende é bom e tem valor, fora isso, venda.

Tenha em mente que o vendedor é o intermediário para fazer o produto e a pessoa se encontrarem.

No mundo, 80% das pessoas querem comprar, mas não sabem o que querem, e os 20% restantes sabem. Se esse pequeno grupo o procurar, você apenas tirou o pedido deles, não vendeu. É para esse grupo de 80% que não sabe que você vai despertar a consciência e realmente exercitar as suas habilidades de vendedor.

Existe o tirador de pedidos e o vendedor. Não seja o tirador de pedidos! O vendedor descobre o que o cliente quer e mostra para ele. Seja essa pessoa!

Teste seus conhecimentos

Quer se tornar um bom vendedor? Estude o produto que você quer oferecer e qual a dor que ele vai curar.

Não pareça um vendedor

As pessoas querem comprar, mas odeiam perceber que você está vendendo para elas. Quando falamos em vendedor, o que é a primeira coisa que vem à sua cabeça? Temos certeza que é aquele vendedor que fica atrás de você em uma loja, empurrando tudo. As pessoas têm bloqueios com algumas profissões, porque acreditam que vendedores, por exemplo, são aquelas pessoas que querem tomar o dinheiro delas. Então, o segredo está em não deixar as pessoas perceberem que você é um vendedor.

A palavra vendedor para as pessoas é pejorativa. Então, seja a pessoa que facilita a vida das outras. Lembre-se que as pessoas não querem

perceber que estão em um processo de venda, e sim em um processo de escolha. O segredo aqui está em mostrar opções para as pessoas. O que você faz é mostrar duas sugestões para ela escolher a que mais lhe agrada. Se você mostra algo que é muito bom também, pode gerar confusão na hora da tomada de decisão, fazendo-a a ir embora. Portanto, não mostre que está vendendo, deixe as pessoas livres.

Você não precisa de um cargo de vendedor para ser vendedor. Você vende o tempo todo: a sua imagem, o seu posicionamento... Se você tem só uma ideia e precisa vender, você precisa contar a história dessa ideia. É assim que você vende as coisas.

Tire da cabeça que venda é do mal! O ruim é ficar sem vender. Você não precisa ser vendedor para os outros, e sim ter uma imagem forte, que gere atração e as pessoas que vão pedir para comprar de você. Se você cresce e gera valor, o público para o qual você está gerando conteúdo vai te encontrar e, consequentemente, vai querer comprar de você.

Agora é sua vez!

Você entendeu como funciona o processo de venda?
Ponha em prática, colocando-se no lugar do cliente. Conte histórias e gere valor para a sua clientela.

Desvenda

Desvenda é a verdadeira venda. As empresas só querem repassar seus produtos, escoar a produção, e isso não é o que ela tem que querer. Na verdade, isso é uma consequência, porque você precisa encontrar e ser encontrado.

Lembre-se que você tem de gerar valor para ser encontrado pelas pessoas. A maioria das pessoas que querem vender pensa em colocar uma venda nos clientes, para que eles fiquem de olhos fechados e os convençam de comprar.

A pessoa quando quer comprar algo está sempre vendada por algum sentimento ou uma emoção, e ela não sabe o que quer. A primeira coisa a fazer é uma sondagem, para ajudá-la a descobrir o que ela quer. E, aí sim, você faz uma venda! Nessa sondagem, você ajuda a pessoa a tirar a venda dos olhos, por isso chamamos de desvenda.

Além disso, os níveis de compra das pessoasque são: necessidade, utilidade e futilidade. Contudo, lembre-se: uma coisa para você que é necessidade, pode ser futilidade para outra pessoa.

E não é o vendedor que define esses níveis, é a pessoa que escolhe. O vendedor vai tirar a venda dos olhos para que essa pessoa decida.

Treine o que aprendeu

Coloque em prática a sondagem. Pergunte o que o seu público quer e entenda a necessidade para despertar o desejo da compra.

Hora de vender

Vamos testar sua habilidade? Veja na sua casa as coisas que estão paradas e coloque-as à venda. Coisas em casa que você não usa são energias paradas, movimente-as! Venda o que não faz mais sentido para você, pois, dessa forma, você vai aprender a exercer a habilidade de vender. Vamos lá!

CAPÍTULO 16

HORA DO TRANSBORDO

Acredite no seu potencial

Neste capítulo, apresento algumas pílulas para animar quem ainda está com medo de agir. Se você chegou até aqui, está na hora de transbordar! Quando você atinge este nível, ninguém o segura! Coloque isso na cabeça!

A seguir, você vai conferir textos que vão transformar o seu *mindset*, mudar a sua forma de ver as coisas e agir. Quando a sua mente é transformada, você prospera, pois para de ter medo e começa a agir. Você só aprende quando tenta! Por que continuar parado no mesmo lugar? Se você chegou até aqui, o seu antigo lugar não faz mais sentido.

Compartilhe seu conhecimento, não segure o que é dos outros. Você acha pouco o que sabe? Acredite, o seu pouco pode ser muito para alguém. Seu pior conteúdo pode salvar uma pessoa. E é isso o que você vai entender nas páginas seguintes. Você pode fazer coisas grandes, pode acreditar!

Não fizeram por você?

Se não fizeram por você, não significa que você não vai fazer pelos outros. Se tivessem feito, hoje, você estaria diferente. Pense nisso!

Você deve pensar: "Não fizeram por mim? É por isso que eu vou fazer para os outros". Assim, você deixa de ser vítima. Porque as pessoas, em todo o tempo, em todas as gerações, elas só pensam nelas. Se não fizeram com você, isso só aponta que o mundo estava andando na direção errada, então conserte você nesta geração. E como que conserta uma geração? Não é devolvendo o que te deram, mas, sim, dando o que ninguém nem sabe que você pode dar e o que as pessoas nem sabem que podem receber.

O que acontece é que as gerações querem fazer só por elas mesmas, mas é importante transbordar para fazer por todo mundo. Quem transborda, prospera! Quando falamos "vá cuidar da sua vida", não é sobre individualismo, mas, sim, sobre uma individualidade que aponta para o transbordo.

O transbordo é o retorno da natureza, e ele é bem pago. Só que não é pago logo no começo, porque, no início, não sabemos se aquilo ali funciona, mas é importante iniciar de algum jeito.

Não fizeram por você, mas você vai fazer pelos outros! Não por obrigação, mas por liberdade, porque você vai entender que você vai crescer muito mais.

Agora é com você!

Transborde a ponto de se tornar insuportável. Ensine para 5 pessoas aquilo o que você sabe.

Não segure o que é dos outros

Tenha em mente que o dom e o talento que você tem pode até ser seu, mas não guarde tudo para si. Pare de segurar o que é dos outros. O seu talento, o seu dom, tudo foi entregue para você poder compartilhar. Se você segurar, não vai prosperar!

As pessoas gostam de ser vangloriadas, de se acharem muito boas, isso não vale de nada. Tudo o que está sendo depositado em você pelo Criador é dos outros. Enquanto isso, você pode desfrutar, aproveitar, viver a vida adoidado, mas não retenha o que é dos outros.

No texto anterior você leu sobre "não fizeram por você", e isso precisa aumentar a sua vontade de fazer pelos outros. E agora a mensagem é: não segure o que é dos outros, porque, quando você segura, você não prospera.

Você se acha incapaz? Saiba que a sua incapacidade já é muito para as pessoas. Seu pior conteúdo pode trazer vida para muitas pessoas que estão morrendo. Pense nisso!

Lembre-se!

Não deixe de transbordar todos os dias na vida do próximo!

Os três estágios

Os três estágios são: escassez, abundância e transbordo. Tenha em mente que não se chega ao próximo estágio sem curar o anterior.

A abundância é ter muito? Não, é ter o limite da capacidade. Já a escassez é não aceitar o limite da capacidade. E o transbordo é não aceitar a capacidade.

Uma analogia muito interessante é da caixa d'água. Desenhe uma caixa d'água, coloque a água nela. Se a água vazar por baixo, é escasso, agora, se chegar no limite, é abundante e, se jogar a água por cima e vazar, é transbordo. Você só é pleno quando essa água vaza por cima.

O que nós somos nessa analogia? Nós somos a caixa d'água. A água é o conhecimento e o que fazemos com a água é a sabedoria. Se não usamos o conhecimento, ele vaza por baixo, então eu gero escassez. Se eu uso para mim, meus familiares e as pessoas que estão ao meu redor, abundância. Mas se não seguro e não retenho, jogo por cima.

Se você é livre e solta tudo o que tem para todos, você transborda. Não tem como controlar quem vai beber. Se é só sobre você e as pessoas que ama, é abundante e, nesse caso, você vai bater em um limitador, prosperando menos.

Agora se não sobra para você, para as pessoas que ama, isso é escassez. Ou você está escasso, abundante e transbordante. Quanto mais fluxo de água um rio libera, mais peixes sobem. Peixes grandes só sobem com águas profundas.

Você é raso? Se você é raso, não aproveita essa prosperidade, porque você libera poucas águas. Agora, se você deseja prosperar, transborde!

Responda às questões abaixo

Em qual dos três estágios você está?

Peixes grandes só sobem em águas profundas. Você é muito raso?

Você já era grande e não sabia

É isso mesmo! Você não ouvia as pessoas ao redor falando isso, mas você já é relevante, só não aceitou, não potencializou e não partiu para a descoberta coletiva.

Você é gigante, magnífico no que faz, só que não tem o resultado, aí seu cérebro fala: "Você não é nada, não dá resultado", e, quando você der resultado, seu cérebro vai continuar sabotando você, porque ele quer prendê-lo no passado.

E como faz para ser maior ainda? É só servir! Porque maior é o que serve. Se você serve, é o maior. Sirva com os seus resultados, com a sua energia. Quando você serve, ninguém o descarta, porque serve para algo.

É simples, você já era, mas não sabia, porque está rodeado de pessoas que não detêm esse conhecimento.

O que queima no seu coração nunca vai apagar. Se você se conectar com alguma pessoa e levar o que transbordamos com este livro na sua vida, não vai voltar atrás e nunca mais terá fim.

Os três estágios da relevância são: quando eu descubro quem eu sou; já o segundo é quando eu potencializo o que descobri; e o terceiro estágio é quando o coletivo me descobre. E a culpa disso tudo é de quem? Sua!

No próximo texto você entenderá melhor sobre isso.

Agora, teste seus conhecimentos

Quais são os resultados que você já está dando? Você já descobriu a sua relevância? Agora torne isso conhecido.

____
____
____
____
____
____
____
____
____
____

Não é sobre mim

Repita tudo o que você leu para realmente entender o que viu até aqui. A primeira vez é um ensaio, já a segunda é para devorar e consumir o conteúdo com experiência.

Isso não é sobre mim, é sobre o Rei. Os filhos ficaram gerações e gerações fora da mesa, ficaram comendo só as migalhas de fora da mesa, mas você foi chamado para prosperar, dominar, multiplicar e transbordar. Isso parece religioso? Mas isso é vida!

Quando entendo que não é sobre mim e não tem nada a ver comigo, já era. Eu dou tudo! Quando tem a ver sobre mim e a pessoa me ofende, eu paro. Se não é sobre mim, é sobre Ele, e eu tenho que acatar o que ele está pedindo. E ele só vai colocar coisas maiores, quando eu praticar as menores.

Você vai transbordar na vida de quem? Na família de quem? Comece a agir agora, não deixe para daqui a pouco! Soltou água, plantou, colheu peixe!

CAPÍTULO 17

TRANSBORDE E PROSPERE MUITO MAIS

Como transbordar na prática

Todos nós podemos transbordar na vida dos outros. Contudo, o transbordo tem que acontecer no momento certo. Muitas vezes, a pessoa que está passando por um problema não está preparada para ouvir os erros e as soluções. É necessário entender o nível de conscientização de cada um.

Neste capítulo, explico o jeito certo de fazer o transbordo. E você irá perceber que, transbordando na vida dos outros, sua vida poderá prosperar muito mais.

A virtude de um verdadeiro mestre é falar no mesmo nível do aprendiz para que este consiga entender. Se você apontar erros e falhas e se mostrar soberano no assunto, a tentativa de transbordo não dará certo. Muito pelo contrário, os outros ainda irão se revoltar contra você. Por isso, faça do jeito certo!

Em primeiro lugar, ame-se

Para transbordar na vida de outra pessoa, é preciso estar "cheio por dentro". O que isso significa? Se você estiver completo, se amando. E também se você tiver um conteúdo de valor para passar para outras pessoas. Você precisa dominar este conteúdo para passar para alguém. E se você passou por uma transformação ou um desbloqueio, certamente, você tem uma expertise para passar para outra pessoa que está passando por algo semelhante neste momento.

O transbordo é realmente isso: você ajudar com alguma experiência sua já superada. Ou você não ter passado por uma transformação, mas sabe o caminho da solução e transborda na vida de outras pessoas.

O primeiro ponto é você entender a grande necessidade de amar a você mesmo. Parece meio óbvio, mas poucas colocam na prática realmente. Há algumas outras pessoas que ainda sentem ódio e revolta dentro delas mesmo. E se você não conseguir se amar, dificilmente você conseguirá ajudar alguém de forma sincera.

Você se sente amado por Deus? Se você se sente amado, você também vai se amar. Jesus Cristo transbordava na vida das pessoas, nos salvou sendo crucificado. Mesmo assim, até a morte Dele, Ele não parou nenhum segundo de transbordar na vida das pessoas. Independentemente da forma que você vai ajudar, pense que é o seu principal propósito aqui na Terra. Esse deve ser o propósito que une todos nós.

Você pode se frustrar

O jeito que você transborda na vida das pessoas, no início, pode te prejudicar muito. A pessoa que está do outro lado, muitas vezes, pode não estar suscetível a aprender. Talvez ela não tenha o coração ensinável, talvez não seja uma pessoa simples. Pode ser até alguém muito próximo. Quando você se coloca nesta posição de ensinar, talvez a outra pessoa pode não estar pronta para tal. E se ela estiver nesse ponto, ela não irá te ouvir. Você pode até ter a resposta do problema da vida dela, mas se ela não estiver aberta a aprender, ela vai te rejeitar e ainda vai falar mal de você. Geralmente, fazemos o transbordo do jeito errado no início.

Acredite, quem se coloca na posição de ajudar os outros tende a ter mais prosperidade, pois as portas vão se abrindo de forma natural. Por isso, você tem que pensar: "Eu sei que é uma coisa difícil, mas eu vou me impor para concretizar esse meu propósito".

O transbordo pelas redes sociais é muito bom, pois você não tem o contato diretamente com a pessoa. No momento que você está criando um conteúdo de valor, não tem ninguém palpitando. Você não a está vendo na sua frente para interpretar a linguagem corporal dela e sentir, muitas vezes, o desprezo. Você tem uma liberdade maior para fazer o que seu coração sente. Além disso, é mais fácil você lidar com a crítica de um terceiro que você não conhece do que com um amigo lhe rejeitando.

Sendo assim, se você deseja iniciar o transbordo, sugiro iniciar pelo digital – uma ferramenta atual que não tem como não pensarmos em usar. É surreal a força de impactar muitas pessoas ao mesmo tempo.

Vale lembrar também que não é certo dialogar já apontando o erro. Pois, caso faça isso, a pessoa do outro lado irá rejeitar. Por isso que transbordar na vida da nossa família – mãe, pai, irmão... – é mais difícil. Mas não deixe a frustração parar você.

O jeito certo

Todos nós temos esse propósito de vida: o de ajudar as outras pessoas. Inspire-se na trajetória de Jesus para viver esse propósito.

Se a pessoa do outro lado estiver em uma situação emergencial, ela pode aceitar a sua ajuda prontamente. Mas, em grande maioria, as pessoas não têm a percepção que precisam de ajuda. Elas estão errando e ainda acham que estão certos, isso é realmente muito comum. O nível de consciência da pessoa ainda não é suficiente para identificar o erro que ela está cometendo. Nesses casos, não adianta dar aquele tapinhas nas costas e dizer: "Eu vou te ajudar". Muito pelo contrário, se você fizer isso, você vai prejudicar todo o processo de transbordo.

Então, qual é o jeito certo? É aquele que você ajuda as pessoas sem que elas percebam que você está realmente fazendo isso. É ser intencional, mas sem ficar falando: "Estou te ajudando, hein?". Apontar os erros dos outros nunca será o melhor caminho. A outra pessoa só pode perceber que foi ajudada quando ela colocar em prática; apenas no final, ela vai entender a sua ajuda. No começo, ela não pode perceber que está querendo ajudá-la. Se você tiver passado pelo mesmo problema que ela, será melhor ainda. Pois ao contar a sua história, sem apontar os atuais problema dela, ela acaba se identificando e se inspirando em sua solução. Ela fará a conexão sozinha. Uma outra ideia é você contar uma história, revelar uma transformação e apresentar uma solução.

Existem alguns bloqueios que são muito universais, como o da escassez e o da necessidade de aprovação (assim como abordei no Capítulo 1 deste livro). Se você disser: "Olha, você tem um bloqueio de necessidade de aprovação por conta desses fatores (e lista todos)", a pessoa tende a ficar com raiva de você pelos apontamentos. Porque ninguém gosta de ter os erros apontados. E, acredite, você ainda vai virar o chato do grupo! Agora, se você chegar, e contar a sua ou uma história similar dizendo como fez para superar essa necessidade, a própria pessoa irá se identificar e fazer a tão sonhada conexão. Ela vai falar: "Puxa, eu acho que tenho esse problema também". A maior parte das pessoas tem problemas e sempre dá um jeito de viver com eles em vez de resolvê-los. Por isso que devemos ter o propósito maior de ajudar. No momento que você começa a transbordar na vida das outras pessoas, a mente começa a reagir de uma forma muito positiva. A gente automaticamente começa a prosperar em todos os sentidos. Faça o teste em sua vida e comprove os resultados!

Reflita sobre o livro e escreva

Quais os melhores conhecimentos que absorveu neste livro para fortalecer o seu mindset e prosperar?

____

____

____

____

____

____

Vá cuidar da sua VIDA!